Las Aventuras de Alisia
en el Paiz de las Maraviyas

Las Aventuras de Alisia en el Paiz de las Maraviyas

Por

Lewis Carroll

ILUSTRASIONES POR

JOHN TENNIEL

TREZLADADO AL LADINO POR

AVNER PEREZ

evertype

2016

Publikado por/*Published by* Evertype, 73 Woodgrove, Portlaoise, R32 ENP6, Ireland. *www.evertype.com.*

Titolo orijinal/*Original title: Alice's Adventures in Wonderland.*

Esta traduksion/*This translation* © 2014–2016 Avner Perez.
Esta edision/*This edition* © 2016 Michael Everson.

Segunda edision/*Second edition* 2016. Primera edision/*First edition* 2014, ISBN 978-1-78201-061-6.

Este livro esta rejistrado en el katalogo del British Library.
A catalogue record for this book is available from the British Library.

ISBN-10 1-78201-179-X
ISBN-13 978-1-78201-179-8

Kompozision tipografika en De Vinne Text, Mona Lisa, ENGRAVERS' ROMAN, *Liberty*, Guttman Rashi, Michali, i Leah por Michael Everson.
Typeset in De Vinne Text, Mona Lisa, ENGRAVERS' ROMAN, Liberty, Guttman Rashi, Michali, and Leah by Michael Everson.

Ilustrasiones/*Illustrations*: John Tenniel, 1865.

Kuvierta/*Cover*: Michael Everson.

Imprimido por/*Printed by* LightningSource.

Prologo

$\mathcal{L}$ewis Carroll es un psevdonimo: Charles Lutwidge Dodgson era el nombre real del autor i el era profesor de matematika en Christ Church, Oxford. Dodgson empeso el kuento el 4 de djulio de 1862, kuando viajo en una barka de remos en el rio Thames en Oxford djunto kon el reverendo Robinson Duckworth, kon Alice Liddell (diez anyos de edad) la ija del dekano de Christ Church, i kon sus dos ermanas, Lorina (tredje anyos de edad), i Edith (ocho anyos de edad). Komo lo vemos klaramene en el poema al prinsipio del livro, las tres djovenas pidieron a Dodgson ke les kontara un kuento; i sin gana, al prinsipio, este empeso a kontarles la primera version del kuento. En el livro ke finalmente fue publikado en 1865, existen munchas referensias a estos sinko personajes, ke aparesen medio-eskondidas a lo largo de todo el teksto.

Sovre tres aspektos diferentes topi gran interes en *Alisia*, i es por esto ke acheti el desfio de traduizir el livro al ladino. El primer aspekto konsierne mi formasion en matematika. Komo alguno ke izo su primer i segundo grado en matematika (antes de dirijirse a la kultura i a la literatura djudeo-espanyola), esto fasinado por la aktitud del matematisiano i lojisiano Carroll, ke trata de introdusir un lenguaje natural (el inglez) en el kuadro del lenguaje lojico formal. El rezultado es divertiente i prezenta un desfio para el traduktor ke trata de prezervar este elemento al traduizir el livro a otra lengua (en mi kavzo, el ladino).

En segundo lugar, komo alguno ke anteriormente se okupo muncho de literatura de ninyos (komo eskritor orijinal i komo traduktor), admiro a Carroll por su aktitud revolusionaria en este kampo. Carroll troka el karakter didaktiko de la literatura de ninyos de su tiempo a traves de las parodias ke pone en la boka de Alisia. Tambien aki ay un desfio partikular para el traduktor. Kuando Carroll publiko Alisia, los kantes didaktikos orijinales eran bastante konosidos entre los lektores i el karakter burlesko era vizivle. Esto fue trokado, desierto, oy en dia, kuando el lector solo lo puede ver a traves de interpretasiones, komo la de Gardner *The Annotated Alice*. Kreo, dunke, ke komo traduktor, esto agora exentado de la nesesidad de topar artifisialmente un paralelizmo a este aspekto de relasion entre la fuente i la parodia. La parodia en si es divertiente i bastante efikas.

El treser aspekto es tambien, en mi opinion, el mas importante i difisil: la kapachidad de traduizir ovras literarias i linguistikamente kompleksas komo Alisia en ladino, una lengua ke esta pedriendo kada vez mas su audensia de avlantes. Aunke esta lengua djudia importante ainda esta avlada, en sierta medida, por miles de personas, no se puede topar oy en dia ninyos ke son kriados en esta lengua. I por otra parte, la mayoria de los avlantes de la lengua, ansi komo munchos de sus investigadores, son prinsipalmente interesa- dos por el aspekto popular de este lenguaje i por el riko folklor ke se kreo en el, inyorando kaje kompletamente la rika kreasion klasika en ladino. Komo investigador del Ladino, dediko gran parte de mis esforsos en el deskuvrimiento i la publikasion de ovras klasikas ke fueron eskritas en ladino a lo largo de sus kinientos anyos de existensia (al prinsipio en relasion kon la literatura ispanika i mas tadre komo lenguaje independiente). Ademas, en los ultimos anyos trati de enkorajar una mueva kreasion literaria orijinal en ladino ansi komo traduksiones klasikas en esta lengua (el punto kulminante de estos esforsos fue la publikasion de la primera parte de la Odisea kon una doble traduksion, en ladino i ebreo, por Moshe 'ha-Elion i por mi-mizmo, 2011, 2014). Mi aserkamiento a la traduksion al ladino es disferensiado i diferente del purizmo de los eskritores i traduktores de la epoka de las Luzes de la segunda mitad del siglo XIX i prinsipios del siglo XX. Estos trataron de eliminar artifisial- mente elementos linguistikos no ispanikos del Ladino i trokarlos por raizes i palavras tomadas del fransez i del kasteyano. Kreo ke estos elementos no ispanikos (ke forman kaje un kuarto de todo el vokabulario de la lengua!) son una parte integral i inseparable del Ladino, i son un komponente importante de su rikeza komo lengua independiente unika, i diferente del kasteyano. Los lektores ispanikos de esta traduksion podran distinguir fasilmente estas palavras i formas (algunas de estas muy bazikas) kompletamente diferentes de las ke se uzan en kasteyano.

En mi lavoro para esta traduksion, me bazi en gran medida en mi muevo Diksionario de Ladino de Internet ("Trezoro de la Lengua Djudeo-Espanyola (ladino) durante todas las Epokas: Diksionario Amplio Istoriko") en el ke esto lavorando estos ultimos anyos. Este diksionario, el mas ancho en su kategoria, en leksikografia djudeoespanyola, kontiene aktualmente mas de 110.000 entradas. La importansia i la singularidad de este diksionario es ke kontiene diezenas de miles de sitasiones tomadas de la literatura djudeoespanyola, popular i klasika, de todas las epokas. Bazandome en este diksionario pudi realizar una traduksion bastante exakta del livro.

Avner Perez
Maale Adumim 2014

Foreword

$\mathcal{L}$ewis Carroll is a pen-name: Charles Lutwidge Dodgson was the author's real name and he was lecturer in Mathematics in Christ Church, Oxford. Dodgson began the story on 4 July 1862, when he took a journey in a rowing boat on the river Thames in Oxford together with the Reverend Robinson Duckworth, with Alice Liddell (ten years of age) the daughter of the Dean of Christ Church, and with her two sisters, Lorina (thirteen years of age), and Edith (eight years of age). As is clear from the poem at the beginning of the book, the three girls asked Dodgson for a story and reluctantly at first he began to tell the first version of the story to them. There are many half-hidden references to the five of them throughout the text of the book itself, which was published finally in 1865.

From three different aspects, I found great interest in *Alice*, and accepted the challenge to translate it into Ladino. The first aspect is my mathematical background. As one who made his first and second degree in mathematics (before turning to Ladino culture and literature) I'm fascinated by the approach of the mathematician and logician Carroll, who is trying to put a natural language (English) under the test of formal logical language. The result is amusing and presents a challenge to the translator, trying to preserve this element when translating the book into another language (in my case, Ladino).

Second, as one who previously dealt a lot with children's literature (both as an original writer and translator), I admire Carroll for his revolutionary way in this field. Carroll reverses the didactic approach that characterized the children's literature in his time, through the parodies he puts in the mouth of Alice. Here, too, there is a particular challenge to the translator. When Carroll published Alice, the original didactic songs were quite familiar among readers and the burlesque character was visible. This was changed, of course, today, when the reader can see it only through interpretations, like that of Gardner's *The Annotated Alice*. I think, therefore, that as a translator I am now exempt from the need to artificially find a parallel to this aspect of relationship between source and parody. The parody in itself is amusing and effective enough.

The third aspect is also, in my view, the most important and challenging: the ability to translate literary and linguistically complex work as Alice into Ladino, a language that is increasingly losing its speaking audience. Although this important Jewish language is still spoken, to some extent, by thousands of speakers, you can't find nowadays children who are raised in this language. And moreover, most speakers of the language, and not a few of its researchers, are primarily interested in the popular aspect of this language and the rich folklore that was created in it, ignoring almost completely the rich classical creation in Ladino. As a researcher of Ladino, I spend much of my efforts in exposing and publishing classic works written in Ladino throughout five hundred years of existence (at first in connection with Hispanic literature and later as independent language).

Besides, in recent years I tried to encourage a new original literary creation in Ladino and classic translations into it (the highlight of these efforts was the publication of the first part of the Odyssey with dual Ladino and Hebrew translations by Moshe ha-Elion and by me, 2011, 2014). My approach to translation into Ladino is distinct and different from the purism of the writers and translators of the Enlightenment period of the second half of the nineteenth century and early twentieth century. They tried to artificially remove non-Hispanic linguistic ingredients from Ladino and substitute them by roots and words borrowed from French and Castilian. I believe that these non-Hispanic materials (comprising almost a quarter of the whole vocabulary of the language!) are an integral and inseparable part of Ladino, being an important component of its richness and wealth as a unique independent language, different from Castilian. The Hispanic readers of this translation can easily distinguish words and forms (some of them very basic) completely distinct from what is in use in Castilian.

In my work on this translation I have relied extensively on my new Ladino Internet Dictionary ("Treasure of Judeo-Spanish (Ladino) Language Throughout the Generations: Historical Comprehensive Dictionary") on which I am working in recent years. This dictionary, the widest of its kind in Ladino lexicography, currently contains over 110,000 entries. The importance and uniqueness of this dictionary is that it contains tens of thousands of quotes from Ladino literature, both popular and classical, of all ages. Relying on this dictionary I was able to do a fairly accurate translation of the book.

Avner Perez
Maale Adumim 2014

Las Aventuras de Alisia en el Paiz de las Maraviyas

Kontenido

A oras d'una tadre dorada
  mos estripamos en trankilidad,
las manikas k'aferran los remos
  reman kon poka kapachidad,
pretendiendosen en vano
  giarmos a la klaredad.

Ah! las tres son muy krueles!
  de un ombre tan adormesido
demandar un kuento, de boka
  ke su soplo, debil i raido,
mover a una pluma flaka
  no avia reushido.

La primera, imperiozamente:
  "Empesa!" dikta kon bruskeria.
La segunda, más amavle, pide
  k'el kuento inkluya bavajaderia.
La tresera interrumpe el kuento
  kada minuto sin galanteri a.

Al kavo, en supito se kayan,
  travadas por la imajinasion,
sigiendo la ninya k'en su esuenyo
  pasava tierras de marafetes i atraksión,
avlando amigavlamente kon animales -
  eyas kaje kreen la verasidad de la situasion.

I kada vez k'al rekontante
se sekava la fuente de su inspirasion,
i deshar el relato para'l dia sigiente
keria, diziendo kon ponderasión:
"El resto para la proksima vez," dezian:
"Ya es la proksima vez!" kon gran emosion.

Ansi el relato del paiz de las maraviyas
poko a poko i una a una, kresio,
sus evenemientos kuriozos se konstruyeron
i el maasé entero ya se kumplio.
Agora navegamos, una tayfa alegre,
a kaza kuando el sol a ponerse se metio.

Toma, Alisia, este relato de ninyos,
i metelo kon tu mano djentil
onde los esuenyos de chikez se guadran
entreteshidos kom'un fino tekstil,
o sea, komo un maso de flores traido
por un peregrino de tierra leshana i fertil.

אבאשו פור איל
בוראקו דיל טאוושאן

ליסייה מימפיסטֿאב׳ה מה סינטירסי מויי מינפֿ׳טֿסיימֿדה די מיסטֿער טֿסינטֿטֿמֿדה אלֿמֿדו די סו מירֿמֿמֿנה, סוב׳רי איל בֿאנקיטו מה מוריֿלייֿטֿם דיל ריֿמֿו, סין מֿוקוֿפֿטֿרסי די נֿמֿדה. מוֿנה ב׳יֿז או דוס ייֿה מֿב׳יֿטֿמֿה מיֿנֿ׳מֿדו מוֿנה מירֿמֿדה אל לֿיב׳רו קי סו מירֿמֿמֿנה מילֿמֿדֿב׳ה, מה איל לֿיב׳רו נו טֿיֿנֿיֿמֿה ני מֿילֿוסֿטֿרֿמֿסֿיֿוֿנֿיֿס ני דֿיֿמֿלֿוֿגֿוֿס, "מֿי קי פֿרֿוֿב׳ יֿג׳ו מֿיֿי די מֿון לֿיב׳רו," פֿֿינֿסֿו אֿלֿיֿסֿיֿיֿה, "סֿיֿן מֿילֿוֿסֿטֿרֿמֿסֿיֿוֿנֿיֿס אֿי דֿיֿמֿלֿוֿגֿוֿס?"

מֿינֿטֿוֿנֿסֿיֿס, קֿוֿנֿסֿיֿדֿיֿרֿמֿב׳ה אֿין סֿו מֿיֿלֿוֿיֿיֿו (מֿה מֿיֿדֿיֿדֿה קי פֿוֿדֿיֿמֿה, פֿוֿרֿקֿי לֿה קֿמֿלֿוֿר דֿיֿל דֿיֿמֿה לֿי דֿיֿמֿה סֿיֿנֿטֿיֿרֿסֿי מֿוֿיֿי מֿטֿוֿפֿיֿדֿה אֿי מֿב׳וֿב׳ מֿדֿה), סֿי אֿיֿל פֿלֿמֿ׳ יֿר דֿי טֿיֿשֿיֿר מֿוֿנֿה גֿיֿרֿנֿמֿלֿדֿה דֿי מֿמֿרֿגֿמֿרֿיֿטֿמֿס ב׳מֿלֿיֿמֿה לֿה פֿיֿנֿה די מֿלֿיֿב׳ מֿנֿטֿמֿרֿסֿי אֿין פֿיֿיֿס פֿמֿרֿה מֿרֿמֿנֿקֿמֿר מֿמֿרֿגֿמֿרֿיֿטֿמֿס, קֿוֿמֿנֿדֿו, מֿינֿסֿוֿפֿיֿטֿו, מֿון טֿמֿמֿוֿשֿמֿן בֿלֿמֿנֿקֿו קֿון מֿוֿז׳וֿם רֿוֿז׳מֿדֿוֿם פֿמֿסֿו קֿוֿרֿיֿיֿנֿדֿו סֿיֿרֿקֿה די מֿיֿלֿיֿיֿה.

נֿמֿדֿה נֿו מֿירֿה מֿוֿיֿי רֿיֿמֿמֿרֿקֿמֿב׳ לֿי אֿין מֿיֿסֿטֿו, נֿי מֿיֿלֿיֿיֿה קֿוֿנֿסֿיֿדֿיֿרֿמֿב׳ה מֿוֿיֿי מֿיֿקֿסֿטֿרֿמֿ׳וֿרֿדֿיֿנֿמֿרֿיֿו מֿוֿמֿיֿר אֿיֿל טֿמֿמֿוֿשֿמֿן דֿיֿזֿ׳ יֿר די סֿי פֿמֿרֿה סֿי: "גֿוֿמֿי די מֿי! גֿוֿמֿי די מֿי! ב׳וֿ טֿמֿרֿדֿמֿר אֿין דֿיֿמֿמֿזֿיֿ׳ יֿמֿה!" (קֿוֿמֿנֿדֿו לֿו רֿיֿפֿיֿנֿסֿו מֿמֿס טֿמֿדֿרֿי, לֿי ב׳ יֿנֿו לֿה מֿיֿדֿיֿמֿה קי מֿב׳ יֿמֿה די סֿיֿר סֿוֿרֿפֿרֿיֿנֿדֿיֿדֿה אֿין מֿיֿסֿטֿו, מֿה מֿין מֿקֿיֿל מֿוֿמֿיֿנֿטֿו לֿי פֿמֿרֿיֿסֿיֿיֿו לֿי מֿמֿטֿמֿרֿמֿל בֿמֿסֿטֿמֿנֿטֿיֿ נֿמֿטֿוֿרֿמֿל);

Abasho por el burako del Taushan

Alisia empesava a sentirse muy enfasiada de estar asentada alado de su ermana, sovre el bankito a oriyas del rio, sin okuparse de nada. Una vez o dos ya avia echado una mirada al livro ke su ermana meldava, ma el livro no tenia ni ilustrasiones ni dialogos, "i ke provecho ay de un livro," penso Alisia, "sin ilustrasiones i dialogos?"

Entonses, konsiderava en su meoyo (a medida ke podia, porke la kalor del dia la azia sentirse muy atupida i abovada), si el plazer de tesher una girnalda de margaritas valia la pena de alevantarse en pies para arrankar margaritas, kuando, ensupito, un Taushan blanko kon ojos rozados paso korriendo serka de eya.

Nada no era *muy* remarkavle en esto. Ni eya konsiderava *muy* ekstraordinario oir el Taushan dizir de si para si: "Guay de mi! Guay de mi! Vo tadrar en demazia!" (Kuando lo repenso mas tadre, le vino la idea ke avia de ser sorprendida en esto, ma en akel momento le paresio bastante natural);

ma, agora, kuando el Taushan *sako una ora afuera de la aldikera de su jaketa*, i mirandola, se echo a korrer, Alisia se alevanto en pies en un salto, porke le paso por su meoyo ke nunka tenia visto un Taushan kon aldikera de jaketa, ni kon una ora para sakar de ayi, i enflamada por la kuriozidad, korrio por el kampo detras de el, i djusto a tiempo alkanso a verlo entrar en un burako-de-taushan abasho del zerko.

Un momento despues entrava detras de el, sin konsiderar ni una vez komo saldria otra vez de ayi afuera.

El burako del Taushan korria direktamente komo un tunel por una largura de kamino, i ensupito desendia por abasho, tan supito, ke Alisia no tenia ni un momento para pensar de arretarse o azer una pozada i se topo kayendose en lo ke le paresio un pozo muy profundo.

O el pozo era muy profundo, o eya kaiya muy davagariko, porke tuvo muncho tiempo para mirar al su derredor, i maraviyarse de lo ke le va okurrir a kontinuasion. En primero trato mirar abasho por ver en ke lugar va aparar, ma era demaziado eskuro para ver algo. Entonses miro a los lados del pozo i noto ke estavan yenos de almarios i raferios. Aki aya se veian mapas i pinturas kolgadas sovre klavos. Tomo un bokal de una etajera. Yevava una etiketa ke dizia: "MARMELADA DE PORTUKAL", ma kon gran desiluzion remarko ke estava vazio. No kijo desharlo kaer, por espanto de matar a alguno ke estuviera abasho, ansi ke reusho alkavo a meterlo adientro de un almario ke enkontro en su abashamiento.

"Bueno," penso de si para si, "despues de una kaida komo esta, me paresera nada kaer abasho de unas eskaleras. Ke brava i animoza me konsideraran todos en kaza! Oh! yo no dire nada afilu si me kaigo del tejado!" (Lo kual seria muy sierto.)

Abasho, abasho, abasho. Es ke nunka terminara esta kaida? "Me gustaria saver kuantas milias ya abashi asta agora?" disho en boz alta. "Devo estar aserkandome al sentro de la tierra, ke esta, me parese, a unos kuatro mil milias abasho—" (komo se puede ver, Alisia avia ambezado algunas kozas de este tipo en sus estudios en la eshkola, i aun ke esta no era una okazion *espesialmente* buena para amostrar su saviduria, komo no avia ayi ninguno a eskucharla, ainda fue una buena pratika dezirlo) "—si, esta es mas o menos la distansia, ma a ke latitud i a ke longitud avia ayegado? (Alisia no tenia ninguna idea ke es "latitud", tanpoko savia ke sinynifika "longitud", ma le paresio ke eran unas palavras grandes a pronunsiar.)

Luego, empeso otra vez: "Me maraviyo si vo atraversar la tierra de lado a lado! Ke trevejo va ser arrivar al paiz onde la djente kaminan kon la kavesa abasho! Los antipatikos, me

parese—" (se alegro bastante de ke dinguno no fue esku-
chandola agora, porke no le sonava komo la palavra djusta)
"—ma tendre ke preguntarles komo se yama sus paiz. Per-
doname sinyora, esta es la Mueva Zelandia? O Australia?" (i
trato de enkorvarse en diziendo esto—una fantazia,
enkorvarse mientres estas kayendo por el aire! Pensas ke
puedes ser kadir de azerlo?) "I ke chika inyorante sere en sus
ojos, preguntando esto! No, nunka no sera meresido de
preguntar: puede ser lo vere eskrito en alguna parte."

Abasho, abasho, abasho. No avia otra koza ke azer i Alisia
empeso a avlar otra vez. "Me espanto ke Dina se deskari-
nyara de mi muncho esta noche!" (Dina era la gata.) "Espero
ke se akodran a darle su platiko de leche en la ora-de-te.
Dina, mi kerida! Me gustaria tenerte konmigo aki abasho!
No ay ningunos ratones en el aire, me espanto, ma podrias
achapar algun mursigano, i esto se asemeja muncho al raton,
saves. Ama me maraviyo si komen mursiganos los gatos." I
aki empeso Alisia a sentirse medio dormida i sigio diziendose
komo en suenyos: "Komen mursiganos los gatos? Komen
mursiganos los gatos?" i a vezes "Komen los mursiganos
gatos?" porke, komo no savia responder a ninguna de las dos
preguntas, no importava muncho en ke manera las
prezentara. Se estava veramente durmiendo i empesava a
sonyar ke paseava kon Dina mano en mano i ke le
preguntava kon muncha ansiedad: "Agora Dina, dime la
verdad, avias komido alguna vez un mursigano?" kuando
enduna, bum! se kayo sovre un monton de ramas i ojas sekas.
La kaida avia terminado.

Alisia no sufrio ningun danyo, i se alevanto en pies en un
salto. Miro arriva, ama todo estava muy eskuro. Delantre de
eya se avria otrun largo pasadijo, i alkanso a ver en el al
Taushan Blanko ke se aleshava kon muncha prisa. No avia
un momento ke pedrer, i Alisia, sin aparar, se echo a korrer
komo el viento, i ayego djusto a tiempo para oirle dezir,

dando buelta por un kantoniko: "Oh, por mis orejas i bigotes, ke tadre se esta aziendo!" Ya estava muy serka de el, kuando dio el Taushan la buelta, ma kuando dio i eya la buelta, ya no lo vido por ninguna parte. Se topo en un vestibyul largo de techo basho, iluminado por una sira de lampas ke se enkolgavan del techo.

Avian puertas alderedor de todo el vestibyul, ma todas estavan serradas kon yave, i Alisia, despues de pasar de un lado a otro, provando a avrir kada una de eyas, se dirijio kon tristeza al sentro de la kamareta, demandandose komo se podia salir de ayi.

Enduna, vido una mezika de tres piezes, echa de un kristal ekmekli. No avia nada sovre eya, otro ke una yavezika de oro, i la primera idea ke se le okurrio a Alisia fue ke devia korresponder kon una de las puertas del vestibyul. Ama, ay! o las serraduras eran demaziado grandes, o la yave era demaziado chika, lo sierto es ke no pudo avrir ninguna puerta. Andjak, dando la buelta por segunda vez, deskuvrio una kortina basha ke no tenia visto antes, i detras de eya avia una puertizika de unos dos palmos de altura. Provo la yave de oro en la serradura, i vido kon alegria ke korrespondia perfektamente!

Alisia avrio la puerta i deskuvrio ke yevava a un estrecho pasadijo, no mas ancho ke un burakito de raton. Se aboko a mirar, i al otro lado del pasadijo vido la guerta mas maraviyoza ke podesh imajinar. Ke ganas le venian de salir de akeya eskura sala i de pasearse entre akeyas tarlas de flores briyantes i akeyas freskas fuentes! Ama eya no podia aun pasar la kavesa por la avierturika. "I afilu si pudiera pasar la kavesa," penso la povereta Alisia, "muy poko iva a servirme sin los ombros. Komo me gustaria poder enkojerme komo un teleskopio! Kreo ke podria azerlo, solo kon saver por onde empesar." I es ke, komo vesh, a Alisia le avian pasado tantas kozas ekstraordinarias akel dia, ke ya empeso a pensar ke kaje nada era en realidad imposivle.

Paresia inutil asperar alado de la puertizika, ansi ke torno otra vez a la meza, kon media esperansa a topar sovre eya otruna yave o, en todo kavzo, un livro de instruksiones para enkojer a la djente komo si fueran teleskopios. Esta vez topo sovre la meza una redomika ("ke siertamente no estava antes aki," disho Alisia), i alderredor del kueyo de la redomika avia una etiketa de papel kon la palavra "BEVEME" afermozi-guadamente imprimida en grandes karakteres.

Era muy bien de dezir "Beveme", ama la chika i intelijente Alisia no iva a azerlo pishin. "No, primero vo a mirar," se disho, "para ver si yeva o no la indikasion de veneno." Porke Alisia avia meldado unos kuantos kuentizikos ermozos de kriaturas ke fueron kemadas, o devoradas por bestias salva-jes, i otras kozas dezagradavles, todo porke no arrekodraron las simples reglas ke sus amigos les ensenyaron: komo, un fierro kermezi i ardiente te kema si lo anferras por demaziado tiempo, o ke sale sangre del dedo si te lo kortas muy profondamente kon un kuchiyo; i nunka avia olvidado ke, si beves muncho de una redoma markada "veneno", es kaje seguro ke, tadre o demprano, te danyara.

Andjak, akeya redoma *no* yevava la indikasion "veneno", ansi ke Alisia se atrivio a gostarlo, i, topandolo muy agradavle (tenia, efektivamente, una meskla de savores de pastel de serezas, prehito, pinya, pavon asado, karamela i pan tostado kayente kon manteka), lo bevio presto enteramente.

* * * *
* * *
* * * *

"Ke sensasion tan estranya!" disho Alisia. "Devo estar enkojiendo komo un teleskopio!"

I ansi era, en efekto: tenia agora solo ventisinko sentimetros de altura, i su kara se ilumino de alegria al pensar ke tenia agora el boy apropiado para pasar por la puertizika i entrar en la maraviyoza guerta. Primero, portanto, aspero unos kuantos minutos para ver si seguia ainda enkojiendose mas; se sintia un poko iniervoza por esto; "porke puedo terminar, saves," se disho entre si, "akavandome del todo komo una kandela. Ke seria de mi entonses?" I trato de imajinar ke okurria kon la flama de una kandela, kuando la kandela se amata, porke no podia arrekodrar tener visto nunka una koza ansi.

Despues de algun tiempo, viendo ke no pasava nada mas, dechidio salir a la guerta. Ama, la povereta Alisia! kuando ayego a la puerta, topo ke avia olvidado la yavezika de oro, i kuando torno atras a la meza para akojerla, deskuvrio ke ya no era posivle alkansarla. Podia verla klaramente a traves del kristal, i trato, lo mejor ke podia, a asuvir arriva i atreparse por uno de los piezes de la meza, ma era demaziado rezvaladija; i kuando se kanso de tratar, la povereta ninya se asento en el suelo i se echo a yorar.

"Bre! No sirve de nada yorar de esta manera!" se disho Alisia a si mizma, kon bastante firmeza. "Te akonsejo ke deshes de yorar agora mizmo!" Alisia se dava en jeneral muy buenos konsejos a si mizma (aunke en raras vezes los seguia), i algunas vezes reprimendava a si mizma kon tanta dureza ke se le saltavan las lagrimas. Arrekodro una vez ke trato darse punyos a sus orejas por enganyarse en un djugo de kroket ke djugava kontra si mizma, siendo, a esta kurioza kriatura le gustava muncho komportarse komo si fuera dos personas al mizmo tiempo. "Ama agora es inutil, penso la povera Alisia, pretender ke so dos personas! kuando apenas kedo de mi bastante para azer *una* sola respektavle persona!"

Poko despues, su mirada kayo sovre una kashika de kristal ke avia debasho de la meza. La avrio i topo adientro un biskochiko sovre el kual se meldava la palavra "KOMEME", eskrita de una ermoza manera. "Bueno, lo komere," disho Alisia, "i si me aze kreser, podre alkansar la yave, i si me aze ainda mas chika, podre meterme debasho de la puerta; ansi ke de kualkera manera entrare en la guerta, i esto es lo ke importa!"

Komio un pokito, i se pregunto truviada a si mizma: "Asta onde? Asta onde?" metiendose la mano sovre la kavesa para notar en ke direksion se va azer el trokamiento, i kedo muy sorprendida a topar ke kedo de mizmo boy. En realidad, esto es lo ke jeneralmente susede kuando uno kome biskocho, ama Alisia ya estava tan akostumbrada a ke todo lo ke le susedia fuera ekstraordinario, ke le paresio muy fastidiozo i estupido ke la vida guadrara su kurso normal.

Ansi ke se konsakro a la tareha, i muy presto se akavo a komer todo el biskocho.

*   *   *   *

   *   *   *

*   *   *   *

El Lago de Lagrimas

"¡*K*uriorífiko i kuriorífiko!" esklamo Alisia (estava tan sorprendida, ke por un momento se olvido de avlar korrektamente). "Agora me esto estirando komo el teleskopio mas largo ke existio nunka! Adío, pies!" grito (siendo ke kuando miro abasho, vido ke sus pies kedavan tan leshos ke paresian kaje afuera de su vista). "Oh, mis poverelikos piesizikos! Me maraviyo ken vos kalsara vuestras kundurias i vos vestira chorapes! Seguro ke yo no podre azerlo! Estare demaziado leshos de vozos para poder okuparme de azerlo— ternesh ke arreglarvos lo mijor ke puedash—Ama devo ser amavle kon eyos," penso Alisia, "o, puede ser ke no kerran kaminar en la direksion en ke yo kero ir! Vamos a ver: les regalare un par de kundurias muevas todas las Navidades."

I sigio planifikando komo iva a azerselos ayegar: "Tendran ke ir por korreo. I ke eglendjeli sera embiarles regalos a mis propios pies! I ke dezmodrado va ser el adreso!

Al Sr. Pie Derecho de Alisia
  La karpeta del ogar
    Alado de la chimenea
      (kon un abraso de Alisia).

Guay de mi, ke tonterias esto diziendo!"

Djusto en este momento, su kavesa dio kon el techo de la sala: en efeto, tenia agora mas de tres metros de altura. Akojio rapidamente la yavezika de oro i korrio a la puerta de la guerta.

Povre Alisia! Todo lo ke pudo azer, era echarse de lado en el suelo i mirar a la guerta kon un solo ojo; ama ayegar asta eya era agora mas difisil ke nunka. Se asento i se echo a yorar de muevo.

"Deves tener verguensa," disho Alisia, "una ija tan grande kom'ati (i kuanta razon tenia en esto), yorando de este modo! Te komando ke deshes de yorar agora mizmo!" Ama fue inutil, porke kontinuo derramando lagrimas a chorros, asta ke se formo a su derredor un gran lago, de unos diez sentimetros de profondita, i ke kuvria la mitad del suelo de la sala.

Despues de algun tiempo oyo un ruidiko de pasos en la distansia, i seko pishin los ojos para ver ken se

aserkava. Era el Taushan Blanko ke tornava, esplendida-
mente vestido, kon un par de guantes blankos en una mano i
un gran aventador en la otra. Se aserkava kushtereando a
toda prisa, murmureando de si para si mientres se aserkava:
"Ah! la Dukeza, la Dukeza! Eya se enfuresera si la ago
asperar!" En su dezesperasion, Alisia se sentia dispuesta a
demandar ayudo a kualseker; entonses, kuando el Taushan
estuvo serka, empeso a dezir en boz basha i timida: "Por
favor, senyor—" El Taushan se detuvo bruskamente, desho
kaer los guantes blankos i el aventador i luego se echo a
korrer pedriendose pishin en la eskuridad.

Alisia also el aventador i los guantes i, komo azia muncha kalor en la sala, empeso a aventarse, diziendo mientres lo azia: "Guay de mi! Ke estranyo es todo lo ke esta pasando oy! I pensar ke ayer las kozas eran tan normales! Me maraviyo: es ke troki durante la noche? Veamos: era yo la mizma kuando me alevanti esta manyana? Kaje me parese akodrarme ke me sentia un poko diferente. Ma si no so la mizma, la siguente kestion es: 'Ken so?' Ah, *este* es el gran enigma!" I empeso a pensar de todas las ninyas ke konosia i ke tenian su mizma edad, para ver si podia averse transformado en una de eyas.

"Esto segura de ke no so Ada," disho, "porke su kaveyo kae en tan largos bukles i el mio no tiene bukles del todo; i esto segura de ke no puedo ser Mabel, porke yo se muchisimas kozas, i eya, oh! eya save tan pokito! Ademas, *eya es* eya i *yo so* yo, i—oh, guay de mi, ke enigmatiko es todo esto! Tratare de ver si se las kozas ke savia. Vamos a ver: kuatro vezes sinko son dodje, i kuatro vezes sesh son tredje, i kuatro vezes siete son—oh, guay de mi! Nunka ayegare a vente de este modo! De todo modo, la tavla de multiplikar no sinyifika nada; provemos kon la jeografia. Londres es la kapitala de Paris, i Paris la kapitala de Roma, i Roma—no, *todo esto* esta ekivokado, esto segura! Me devo aver trokado por Mabel! Tratare de resitar '*Komo la chika bezba*—'" i aplego las manos sovre su bel, komo si estuviera dando la lision, i empeso a deklamar, ma su boz sonava enrokesida i estranya, i las palavras del verso ke keria dezir no paresian las mizmas de siempre:—

> "*Ves komo el industriozo krokodilo*
> *Amejorea su lustroza kola*
> *I derrama las aguas del Nilo*
> *Sovre sus eskamas de oro!*

Kon ke alegria amostra sus dientes
Kon ke kuidado dispone sus unyas
I se dedika a invitar a los peshikos
Para ke entren en sus sonrientes krokes."

Esto segura ke estas no son las palavras! disho la povre Alisia, i sus ojos se yenaron de lagrimas otra vez al kontinuar: "Despues de todo, devo de ser Mabel i terne ke ir a bivir en esta kazika miskina, sin kaje tener djuguetes para djugar, i oh! tantas lisiones a estudiar! No, esto dechidida sovre esto: si so Mabel, me kedare aki! Sera inutil ke metan sus kavesas ayi i digan: 'Asuvete, kerida!' Yo vo solo a mirarlos i dire: 'Ken so yo, entonses? Dizidme esto primero, i despues, si me gusta ser esta persona, asuvire arriva. Si no me gusta, me kedare aki abasho asta ke sea alguna otra'— ama, oh, guay de mi!" grito Alisia, kon un bochorro de lagrimas, "Kerria muncho ke metan sus kavesas i miren abasho! Esto *tan* kansada de estar sola aki!"

Al dezir esto, abasho su mirada a sus manos, i se sorprendio de ver ke, mientres avlava, se vistio uno de los chikos guantes blankos de kavritiko del Taushan. "Komo *pude* azer esto?" penso. "Deve ser ke deveni chika otra vez." Se alevanto i se aserko a la meza para mezurarse kontra eya, i deskuvrio ke, asta la medida ke podia kalkular, su altura era agora kaje no mas de sesenta sentimetros, i seguia enkojien-dose rapidamente. No tadro de entender ke la kavza de esto era el aventador ke tenia en la mano, i lo desho pishin kaer, djusto a tiempo para evitar de despareser entera.

"Esto fue una salvasion milagroza!" disho Alisia, bastante asustada por akel trokamiento sopetanio, ama muy kontente i felis de verse sana i existiendo. "I agora a la guerta!" I se echo a korrer de toda prisa para tornar a la puertizika: Ama, ay! la puertizika estava serrada de muevo, i la yavezika de oro estava puesta sovre la meza de kristal komo antes, "i las kozas estan peor ke nunka," penso la povereta kriatura, "siendo, nunka estava tan chika antes, nunka! I deklaro ke esto es demaziado negro, ke esto es lo ke es!"

Al dezir estas palavras, uno de sus pies se arresvalo, i un segundo mas tadre, opa! estava undida asta su garon en agua salada. Su primera idea fue ke, de alguna manera, avia kaido en la mar. "I en tal kavzo, puedo tornar en kaza por el treno," se disho. (Alisia avia ido a la playa una sola vez en su vida, i ayego a la konkluzion jeneral, de ke siempre, kuando uno va a la kosta ingleza, topa ayi unas kuantas kazikas de banyos, kriaturas eskarvando en la arena kon palas de tavla, despues, una sira de oteles, i detras de estos una estasion de trenos.) Andjak, muy presto, entendio ke estava en el lago de lagrimas ke eya avia derramado kuando tenia tres metros de altura.

"Makare no uviera yorado tanto!" disho Alisia, mientres nadava, bushkando salida. "Devo ser kastigada agora por esto, supozo, en ser aogada en mis propias lagrimas! Esto va ser, en verdad, una koza estranya! Ma todo es estranyo oy."

En este momento oyo ke alguno esta daldeando en el lago, no muy leshos de eya, i nado por ayi para ver ken era. En primero le paresio ke era una morsa o un ipopotamo, ma despues se akodro kuanto chika era agora, i entendio ke solo era un raton ke avia kaido en el lago komo eya.

"Seria de alguna utilidad, agora," penso Alisia, "avlar kon este raton?" Todo es tan ekstraordinario aki abasho, ke me parese probavle ke sepa avlar; en todo kavzo, no ay dingun danyo en tratar." Ansi ke empeso: "Oh, Raton, saves komo salir de este lago? Esto muy kansada de nadar por aki, oh, Raton!" (Alisia penso ke este deve ser el modo korrekto de avlar kon un raton; nunka avia echo una koza semejante antes, ama arekodro aver meldado en la Gramatika Latina de su ermano "Un raton—de un raton—a un raton—un raton—oh, raton!") El Raton la miro atentamente, i aneya le paresio ke le ginyava uno de sus ojikos, ma no disho nada.

"Puede ser ke no save avlar ladino," penso Alisia. "Puede ser ke es un raton fransez, ke ayego asta aki kon Guillermo el Konkistador." (Siendo, kon todos sus konosimientos de istoria, Alisia no tenia una idea muy klara en ke epoka akontesio kada koza.) Ansi ke komenso de muevo: "Où est ma chatte?" ke era la primera fraza de su livro de fransez. El Raton dio un salto imprevisto afuera de la agua i empeso a temblar de pies a kavesa. "Oh, perdoname!" grito Alisia pishin, temiendo aver ferido los sentimientos del povre animal. "Me olvidi ke no te gustan a ti los gatos."

"No me gustan los gatos!" esklamo el Raton en boz aguda i apasionada. "Te gustarian a ti los gatos si tu fueras yo?"

"Bueno, puedeser ke no," disho Alisia en tono konsiliador. "No te arravies por esto. Kon todo esto, me gustaria azerte konesensia kon muestra gata Dina: Kreo ke empesaran a gustarte los gatos, si solo la vieras. Es tan buena i trankila," kontinuo Alisia, avlando medio a si mizma, mientres nadava haraganoza en el lago "i asenta a gorgoriar tan dulsamente alado del fuego, lambiendose las palmikas i lavandose la kara—i es tan agradavle tenerla en brasos—i es una shampiona en achapar ratones—Oh, perdoname, por favor!" grito de muevo Alisia, porke esta vez el Raton se enriso entero, i tuvo eya la impresion ke en realidad se avia ofendido. "No avlaremos mas de Dina, si tu no keres."

"Bevaday ke no!" grito el Raton, ke estava temblando asta la punta de su koda. "Sankí ke yo fuera a avlar de un tema semejante! Muestra famiya siempre *odio* a los gatos: eskifozos, bashos, vulgares! Ke no torne a oir yo este nombre otra vez!"

"No lo are!" disho Alisia, apresurandose a trokar el tema de la konversasion. "Te gustan—te gustan—los perros?" El Raton no kontesto, ansi ke Alisia sigio diziendo ardientemente: "Ay un perriko tan grasioziko serka muestra kaza ke me gustaria azertele koneser! Un chiko terrier de ojikos briyantes, saves, kon, oh, pelo tan largo, bukleado, kastanyado . I si le arrondjas alguna koza, va i la trae, i se asenta sovre dos pachas para demandar la komida, i otras munchas maneras de kozas mas—no me akodro ni de la mitad de eyas—I es de un chifchí, saves, i el dize ke es un perro tan util ke vale sien libras. Dize ke mata todas las ratas i—Oh, guay de mi!" esklamo Alisia adoloriada. "Me espanto ke lo avia ofendido otra vez!" Siendo, el Raton se aleshava de eya nadando tan presto ke podia, aziendo, en kaminando, un gran alboroto en el lago.

Alisia lo yamo dulsamente mientres nadava detras de el: "Ratoniko kerido! torna atras, i no avlaremos mas de gatos ni de perros, siendo ke no te gustan!" Kuando el Raton oyo estas palavras, dio la buelta i nado vagarozamente en verso eya: su kara estava bastante palida (de emosion, penso Alisia) i disho en boz basha i temblante: "Vamos a la oriya, i ayi te kontare mi istoria i entonses komprenderas porke odio a los gatos i a los perros.

Ya era ora de salir de ayi, siendo el lago se iva inchiendo de los pasharos i animales ke avian kaido en el: avia un Pato i un Dodo, un Papagayo i una Agilika i otras kuantas kria-duras kuriozas. Alisia enkaveso la marcha i todo el grupo nado verso la oriya.

Una Korrida Loka
i Una Larga Istoria

Fue en realidad estranyo de ver el grupo ke se akojo en la oriya—los pasharos kon las plumas suzias, los animales kon la samara apegada al puerpo, i todos enchorreados asta los guesos, disgustados i dezakomodados.

Lo primero era, naturalmente, dechidir komo sekarse: se konsejaron sovre esto i despues de unos pokos minutos, le paresio a Alisia lo mas natural avlar kon eyos de modo familiar, komo si los konosiera toda su vida. En verdad, tuvo una larga disputa kon el Papagayo, ke al kavo se izo muy empesunyado i solo disho: "So mas viejo ke ti, i devo saverlo mijor", una koza ke Alisia no acheto sin saver de ke edad era el, i komo el Papagayo refuzo a revelar su edad, no uvo mas ke dezir.

A la fin, el Raton, ke paresia ser una persona de sierta autoridad entre eyos, grito: "Asentadvos todos i eskuchadme!" Muy pishin vos are sekos a todos. Todos se asentaron de vista, formando un sirkolo ancho, kon el Raton en medio.

Alisia no le kitava los ojos de ensima enkudiada, siendo konsentia ke por seguro va apanyar una resfriadura si no se sekava de vista.

"Ahem!" disho el Raton kon aires de importansia, "Estash preparados? Esta es la koza mas seka ke konosko. Silensio todos, por favor! 'Guillermo el Konkistador, kuya kavza era favorizada por el Papa, fue akseptado por los inglezes ke nesesitavan un shefe, i estavan ya de muncho tiempo akostumbrados a mayorgamiento i konkistas. Edwin i Morcar, dukes de Mercia i Northumbria—'"

"Uf!" disho el Papagayo, estremesiendose.

"Pardon?" disho el Raton, engrovinyandose, ma kon muncha kortezia. "Dezia su mersed algo?"

"Yo no!" se apresuro a responder el Papagayo.

"Porke me paresio," disho el Raton. "Kontinuo. 'Edwin i Morcar, dukes de Mercia y Northumbri, lo apoyaron, i afilú Stigand, el patrioto patriarka de Canterbury, lo topo akonsejavle—'"

"Topo *ke?*" pregunto el Pato.

"Topo*lo*," respondio el Raton un poko arraviozo. "Por seguro ya saves lo ke 'lo' kere dezir."

"Seguro ke se lo ke 'lo' kere dezir! Kuando yo topo una koza," disho el pato, "jeneralmente es una rana o un guzano. Lo ke kero saver es ke fue lo ke topo el patriarka?"

El Raton inyoro esta pregunta i se apresuro a kontinuar: "'—lo topo akonsejavle ir kon Edgar Atheling a enkontrarse kon Guillermo i ofreserle la korona. El komporto de Guillermo fue moderado al prinsipio. Ama la azpanut de sus normandos—' Komo te konsientes agora, kerida?" kontinuo, adresandose a Alisia.

"Amojada komo al prinsipio," disho Alisia en un tono melankoliko. "Esto no me izo sekarme del todo."

"En este kavzo," disho el Dodo solenemente, alevantandose en pies, "propozo a la asamblea adoptar pishin un remedio mas enerjiko."

"Avla en Ladino!" disho la Agilika. "No entiendo ni la mitad de estas palavras tan largas, i mas de esto, no kreo ke tu tanpoko las entiendes!" I la Agilika aboko su kavesa eskondiendo una sonriza. Algunos de los otros pasharos sonrieron en una boz sentida.

"Lo ke yo iva a dezir," disho el Dodo en tono ofendido, "es ke el mejor modo para sekarmos seria una Korrida Loka."

"Ke *es* una Korrida Loka?" pregunto Alisia, no tanto porke dezeava saverlo, sino porke el Dodo izo una pauza, komo si esperava ke *alguno* va dezir algo, i ninguno no paresia dispuesto a azerlo.

"Bueno," disho el Dodo, "la mejor manera de esplikarlo es azerlo." (I komo puede ser ke a alguno de vozotros le plaze azer tambien una Korrida Loka algun dia de invierno, vo a kontarvos komo la organizo el Dodo.)

Primero marko una pista para la Korrida, en un sorte de sirkolo ("la forma exakta no importa," disho) i despues todo el grupo fue pozado aki i ayi a lo largo de la pista. No uvo el

"A la una, a las dos, a las tres, korred!" sino ke todos empesaron a korrer kuando kijieron, i kada uno paro kuando kijo, de modo ke no era kolay saver kuando termino la korrida. Portanto, kuando ya avian korrido mas o menos media ora, i estavan bastante sekos otra vez, el Dodo grito enduna: "Ya termino la korrida!" i todos se agruparon a su derredor, preguntando: "Ama ken gano?"

El Dodo no podia responder a esta pregunta sin entregarse antes en una larga meditasion, i estuvo refleksionando largamente kon un dedo sovre la frente (en la pozision en ke ordinariamente aparese Shakespeare en los retratos de el), mientres los restantes asperavan en silensio. Enfin disho el Dodo: "*Todos* ganaron, i todos tenemos ke resivir premios."

"Ama ken va dar los premios?" pregunto un koro de bozes.

"Alora, *eya* bevaday," disho el Dodo, senyalando a Alisia kon el dedo. I todo el grupo se akojo alderedor de Alisia, gritando alak bulak: "Premios! Premios!"

Alisia no savia ke azer, i en su dezesperasion metio su mano en la aldikera, i kito de ayi una kashika de konfites (orozamente la agua salada no avia entrado adientro de eya), i los repartio komo premios. Uvo exaktamente un konfit para kada uno de eyos.

"Ama, savesh, eya tambien deve tener un premio," disho el Raton.

"Vaday ke," arrespondio el Dodo muy seriozamente. "Ke mas tienes en la aldikera?" kontinuo, adresandose a Alisia.

"Solo un dedal," disho Alisia kon tristeza.

"Damelo aki," disho el Dodo.

Entonses, todos la arrodearon otra vez, mientres el Dodo le ofresia solenemente el dedal, en diziendo: "Te arrogamos ke akseptes este elegante dedal"; i kuando akavo este korto diskorso, todos aplaudieron kon entuziasmo.

Alisia penso ke todo esto era muy absurdo, ama siendo los otros paresian tomarlo tan en serio, no se atrevio a riir, i, komo no supo ke dezir, solo se enkorvo i tomo el dedal, kon el aire mas solenel ke pudo.

La siguente koza era de komerse los konfites, lo ke kavzo bastante baraná i konfuzion, siendo los pasharos grandes se keshavan ke no podian savorear los suyos, i los pasharos chikos se aogavan i tenian ke ser aharvados en la espalda. Andjak, enfin todo termino, i de muevo se asentaron en sirkolo, i arrogaron al Raton ke les kontara algo mas.

"Me prometites kontarme tu vida, saves," disho Alisia, "i porke odias a los—G i a los P," adjusto en un chuchuteo, medio espantoza de ofenderlo otra vez.

"El relato de la mia es largo, bravo i triste!" disho el Raton kon suspiro, tornandose enverso Alisia.

"En verdad *es* un largo ravo," disho Alisia, mirando kon admirasion la koda del Raton, "ama porke dizes ke es triste?

I sigio maraviyandose sovre esto, mientres el Raton avlava, ansi ke su idea del relato de largura-de-ravo tomo esta forma:—

"Furia disho
   a un raton
      ke enkontro
        en un rinkon:
          'Vamos al
            djuzgado
              ke te vea
               enkolgado!
            Ven, ven
          sin ningun
         karshilik
       presto lo
     agas sin
   nazlilik!
Porke esta
manyana
no tengo
ke azer.'
   Disho'l
     raton
       a la
         Furia:
           'No puede
             ser! sin
               dayanim
               djurados
                muestros
              esforsos
            seran boz-
          deados!'
        'Yo sere
      el djuz-
    gador!'
    disho
    anel
     la
     vieja
       Furia,
        'por
          suerte
           ke
           ansi-
            na
          te
        djuz-
       ga-
     re-
   a
  muer-
te.'

"No estas metiendo tino!" disho el Raton a Alisia severamente. "En ke pensas?"

"Diskulpame! Lo regreto muncho!" disho Alisia umildemente. "Ayegates a la sinkena kurva, me parese?"

"*Nada* de esto, i no primo ayudo!" grito el Raton agudamente i kon eresimiento.

"Enyudo," disho Alisia, siempre lista a ser provechoza, i adjusto, mirando kon ansiedad a su derredor: "Oh, deshame desbarasarlo!"

"No are nada d'esta manera!" disho el Raton, alevantandose i aleshandose, "Me estas insultando en diziendo talas bavajadas!"

"No kije dezir esto!" rogo la povre Alisia. "Ma sos tan fachilmente afrentado, saves?"

El Raton solo respondio kon un grunyido.

"Tornate, por favor, i termina tu istoria!" grito Alisia detras de el. I todos los otros animales se adjuntaron gritando a koro: "Si, tornate, por favor!" Ama el Raton solo meneo impasiente su kavesa i apresuro sus pasos.

"Ke lastima ke no kijo kedarse!" suspiro el Papagayo, kuando el Raton ya se pedrio de vista. I una vieja Kangreja aprovecho la okazion para dezirle a su ija: "Ah, kerida! Ke te sirva de lision para ke nunka piedras la pasensia!"

"Kayate, mama!" disho la Kangrejika, un poko agudamente. "Tu sos kapache de azer pedrer la pasensia a una stridía!"

"Makare estuviera aki Dina!" disho Alisia en boz alta, adresandose a ninguno en partikular. "lo azia tornar aki de vista!"

"I ken es Dina, si me permites preguntarlo?" kijo saver el Papagayo.

Alisia arrespondio kon entuziasmo, porke siempre estava dispuesta a avlar de su animalika favorita: "Dina es muestra gata. I no podesh imajinar kuanto kapache es para kasar ratones! I me gustaria ke la vierash korrer detras de los pasharos! Se kome un pashariko en un avrir i serrar de ojo!"

Estas palavras kavzaron una sensasion notavle entre el grupo. Algunos pasharos se apresuraron a fuir birdenbiri. Una vieja Graja empeso a kuvrirse bien entre sus plumas, diziendo: "En verdad, devo tornar a mi kaza; el aire de la noche no konviene a mi garganta." I un Kanario yamo en boz temblante a todos sus chikos: "Vamos, keridos! Es ora de ke estesh todos en la kama!" Kon diferentes achakes todos se fueron de ayi, i muy presto Alisia se kedo sola.

"Makare no uviera mensionando a Dina!" se disho a si mizma en un tono melankoliko. "Aki abasho, no le gusta a ninguno mi gata, i yo esto segura ke es la mijor gata del mundo! Oh, mi kerida Dina! No se si tornare a verte alguna vez!" I aki la povre Alisia se echo a yorar de muevo, porke se sentia muy sola i muy aprimida. Andjak, despues de poko tiempo, torno a oir de leshos un ruidiko de pasikos. Alevanto la vista ansiozamente, kon la media esperansa ke el Raton troko de idea i estava tornando atras para terminar su istoria.

Kapitulo IV

El Taushan Embia Azer un Mandadiko

*E*ra el Taushan Blanko, ke tornava korriendo lejeramente i mirando kon ansiedad a su derredor, komo si uviera pedrido algo, i lo oyo murmureando: "La Dukeza! La Dukeza! Oh, mis keridas tabanikas! Oh, mi samara i mis bigotes! Eya me va djustisiar, tan sierto komo los urones son urones! Onde pudi yo desharlos kaer, me maraviyo?" Alisia prezumio al punto ke estava buhskando el aventador i el par de guantes blankos de kavritiko, i yena de buena veluntad empeso i eya a bushkarlos por todos los lados, ma no se veian en ningun lugar—todo paresia averse trokado desde su nadadura en el lago, i la gran sala, kon la meza de kristal i la puertizika avian desparesido kompleta-mente.

Muy presto el Taushan avisto a Alisia ke andava bushkando de un lado a otro, i le grito en un tono raviozo: "Komo, Mary Ann, ke estas aziendo aki! Korre imediata-mente a kaza i traeme un par de guantes i un aventador!

Apresurate!" I Alisia era tan aselada, ke salio korriendo de vista en la direksion ke le amostrava, sin provar esplikarle el error ke avia echo.

"Me tomo por su servidera," se disho mientres korria, "Kuanto sorprendido estara kuando deskuvrira ken so! Ma sera mijor ke le traiga su aventador i sus guantes—esto es, si puedo toparlos." Diziendo esto, ayego enfrente de una linda kazika, ke sovre su puerta briyava una tavleta de metal kon el nombre "TAUSHAN B." gravado en eya. Entro sin batir a la puerta, i korrio arriva por las eskaleras, kon muncho miedo de enkontrar a la verdadera Mary Ann i de ser echada de la kaza antes de poder topar el aventador i los guantes.

"Ke dezmodrado parese," se disho Alisia, "ir a azer un mandado para un taushan! Supozo ke, despues de esto, Dina tambien me mandara a azer sus mandados!" I empeso a imajinarse ke okuriria en este kavzo: "'Senyorita Alisia! ven aki imediatamente i preparate para salir al paseo!' 'Vo venir en segida, chacha! Ama agora tengo ke mirar ke el raton no va fuir.' Solo ke no penso," sigio diziendose Alisia, "si a Dina la desharan en kaza si empesara a dar ordenes a la djente de esta manera!"

Kon esto, avia ayegado asta una chika kamareta, bien arresentada, kon una meza alado de la ventana, i sovre eya (komo esperava) un aventador i dos o tres pares de minudos guantes blankos de kavritiko. Akojio el aventador i un par de guantes i, estava a punto de salir de la kamareta, kuando su mirada kayo sovre una redomika ke estava alado del espejo. No avia ninguna etiketa, esta vez, kon la palavra "BEVEME", ama de todo modo Alisia la destapo i se la yevo a sus lavios. "Se ke *algo* interesante, por seguro, okure," se disho, "kada vez ke komo o bevo algo; entonses, vo a ver ke me aze esta redoma. Espero ke tornara a azerme kreser porke, en realidad, esto bastante kansada de ser una koza tan minuda!"

I en verdad, la izo kreser! I muncho mas presto de lo ke asperava: Antes ke uviera bevido la mitad de la redoma, sintio ke su kavesa aharvava el techo i tuvo ke doblarse para ke no se le rompiera el kueyo. Se apresuro a soltar la redoma, mientres se dezia: "Ya basta! Espero ke no seguire kresiendo—Komo esto agora, ya no paso por la puerta— Makare no uviera bevido tanto!"

Elas! Ya era demaziado tadre para esto! Sigio kresiendo i kresiendo, i muy presto tuvo ke abasharse de rodiyas sovre el suelo. Un minuto mas tadre, no le kedava espasio ni para esto, i aprovo akomodarse echada en basho, kon un kovdo kontra la puerta i el otro braso alderredor de su kavesa. Ainda estava kresiendo i, komo ultimo molde, kito un braso por la ventana i un pie arriva por la chimenea, mientres se dezia: "Agora no puedo azer nada mas, pase lo ke pase. Ke va *ser* de mi?"

Por dicha, la redomika majika ya avia produsido todo su efekto, i no kresio mas. Asindá, se sentia muy inkomoda i, komo no paresia aver posibilidad alguna para eya a tornar i salir de akeya kamareta, no es de maraviyar ke se sintiera muy desgrasiada.

"Era muncho mas agradavle en la kaza," penso la povre Alisia "kuando uno no se aze siempre mas grande i mas chiko, i no deve ovedeser a ratones i taushanes. Kaje preferiria no averme indo por el burako del Taushan—i ainda— ainda kon esto—es bastante kuriozo, saves, esta manera de vida! Me maraviyo, ke *puede* averme pasado! Kuando meldava kuentos de fadas, me imajinava ke kozas de esta sorte nunka pudieran okurir en la realidad, i agora, aki esto en medio de una de estas! I kuando vo engrandeser, eskrivire un—ma ya esto engrandesida agora," adjusto en un tono triste; "a lo menos no ay lugar para engrandeser mas *aki*."

"Ma entonses, es ke *nunka* sere mas grande de lo ke so agora? De una parte, esto sera muy konveniente, no ayegare nunka a ser una vieja, de otra parte, tener siempre lisiones ke estudiar! Oh! Esto no me gustaria del *todo*!"

"Oh, tu, bova Alisia!" kontesto a si mizma. "Komo puedes estudiar lisiones aki? 'Ha? apenas ay lugar para *ti*, ansi ke no keda ni un lugariko para livros de ensenyansa!"

I ansi kontinuo, tomando en primero un lado, i despues el otro, manteniendo de todo esto una vera konversasion; ama, despues de unos kuantos minutos, oyo una boz de afuera, i se detuvo para eskuchar.

"Mary Ann! Mary Ann!" dezia la boz. "Traeme imediatamente mis guantes!" Despues, oyo un ruidiko de pasos por la eskalera. Alisia komprendio ke era el Taushan ke vino a bushkarla i empeso a temblar asta ke sakudio toda la kaza, olvidandose ke agora ya era kaje mil vezes mas grande ke el Taushan, i no avia ninguna razon para temerle.

Agora, el Taushan avia ayegado enfrente de la puerta i trato avrirla; ma, komo la puerta se avria para adientro i el kovdo de Alisia estava fuertemente apretado kontra eya, no reusho moverla. Alisia oyo ke se dezia para si: "Entonses dare la buelta i entrare por la ventana."

"No podras azer esto," penso Alisia, i, despues de asperar asta ke kreyo oir al Taushan djusto debasho de la ventana, avrio de vista su mano i izo djesto de atrapar en el aire. No anferro nada, ma oyo un grito halushento i un ruido de algo ke kaiya i rompedura de djames rotos, lo ke le izo suponer ke el Taushan se avia kaido sovre un resipiente de pepinos o algo de esta sorte.

Despues se oyo la boz muy ravioza—del Taushan—"Pat! Pat! Onde estas?" I otra boz, ke eya no tenia oido antes: "Aki esto! Kavando en bushka de mansanas, kon permeso de su onor!"

"Kavando en bushka de mansanas, halbú!" Disho el Taushan muy arraviado. "Ven aki imediatamente i ayudame a salir de *esto*! (Mas ruido de djames rotos.)

Agora dime, Pat, ke es esto ke ay en la ventana?"

"Seguro ke es un braso, su onor!" (Siendo monasterlí, lo pronunsiava "ubrasu".)

"Un braso, tu ganso! ken tenia visto nunka uno de este boy? Komo? yena toda la ventana!"

"Vaday ke, su'nor: Ma es un braso kon todo esto."

"Bueno, no tiene ke azer ayi, en todo kavzo: Va kitalo de ayi!"

Uvo un largo silensio despues, i Alisia solo pudo oir unos chuchuteos de vez en kuando; komo: "Seguro ke esto no me gusta, su'nor, deltodo, deltodo!" "Azlo komo te digo, tu, kobardo!" i alkavo, Alisia torno i espandio su mano i la movio para atrapar algo en el aire. Esta vez uvieron dos chiyidikos i mas ruido de djames rotos. "Kuantos resipientes de djam deven de aver ayi abasho!" penso Alisia. "Me maraviyo, ke aran agora! Si es por kitarme por la ventana, makare *pudieran* azerlo! Por seguro no kero kedar aki mas!"

Aspero unos minutos sin oir nada mas: enfin ayego un sonetiko de ruedikos i de un buen numero de bozes avlando todos endjuntos. Pudo entender algunas palavras: "Onde esta la otra eskalera?—Komo? A mi solo me disheron de traer una; La otra la tiene Bill—Bill! trae la eskalera aki, muchacho!—Aki, meteldas en este kanton—No, primero atalas la una kon la otra—ansí no alkansan ni a la mitad—Oh, ya abastan. No seas tan pezgado—Aki, Bill! aferra esta kuedra!—Va somportar este pezo el tejado?—Kuidado kon esta teja afloshada!—Oh! ke se esta kayendo! Kuidado kon la kavesa!" (Un fuerte patladeamiento.) "Agora, ken lo izo?—Kreo ke fue Bill—Ken va abashar por la chimenea?—Yo no! Abasha *tu*!—I yo no lo are!—Tiene ke abashar Bill—Ven aki, Bill! El amo dize ke tienes ke abashar por la chimenea!"

"Oh! Ansi es Bill el ke tiene ke abashar por la chimenea? Eh?" se disho Alisia. "Parese ke todo se lo deskargan sovre la espalda de Bill! No me gustaria estar en lugar de Bill por ningun presio: por seguro, esta chimenea es estrecha, ama *kreo* ke podre dar algun kos por eya!"

Estiro el pie adientro de la chimenea kuanto pudo, i aspero asta oir ke un chiko animal (no pudo adivinar de ke sorte) eskarvava i arraskava adientro de la chimenea, djusto ensima de eya. Entonses, mientres se dezia a si mizma: "Aki esta Bill!" dio una fuerte patada, i aspero a ver ke iva akonser a kontinuasion.

Lo primero ke oyo fue un koro de bozes ke gritavan a una: "Ayi va Bill!" i despues la boz del Taushan solo— "Apanyadlo, vos ke estash alado de la paredika!" un silensio i despues una konfuzion mueva de bozes—"Alevantadle la kavesa—Agora konyak—Sin ke se aoge—Ke te paso, amigo? Ke te akontesio? Kuentamos todo!"

Enfin salio una bozezika flaka i aguda, ("Este es Bill," penso Alisia), "Bueno, kaje no se nada—Grasias, no mas; ya

me siento mijor—ma esto demaziado mareado a kontarvos—
Todo lo ke se es ke algo salio i me aharvo komo 'Jak-en-la
kasha' i sali por los aires komo una raketa!

"Ansi, en verdad, amigo! Esto ya lo vimos!" disheron los
otros.

"Tenemos ke kemar la kaza!" disho la boz del Taushan. I
Alisia grito kon toda su fuersa: "Si lo azesh, lansare a Dina
kontra vozotros!"

Se izo imediatamente un silensio mortal, i Alisia penso para
si: "Me maraviyo ke *van* a azer agora. Si tenian un poko de
meoyo, alevantarian el tejado." Despues de un minuto o dos
empesaron a moversen de un lado a otro, i Alisia oyo ke el
Taushan dezia: "Una karretada yena mos abastara para
empesar."

"Una karretada de *ke*?" penso Alisia, ma no tuvo ke duvdar
muncho, siendo ke al minuto siguente empeso a penetrar por
la ventana una luvia de piedrizikas; algunas le aharvaron la
kara. "Agora mizmo vo a akavar kon esto," se disho Alisia, i
grito en boz alta: "Sera mijor ke no lo kontinuesh!" lo ke
produsio otro silensio mortal.

Alisia atento, kon sierta sorpreza, ke las piedrizikas se
estavan transformando en samsadikas, al dar kon el suelo, i
una idea briyante entro en su kavesa. "Si komo una de estas
samsadikas," penso, "seguro ke se produsira *algun* troka-
miento en mi boy; i komo no ay posibilidad de ke me aga mas
grande, devere de azerme mas chika, supozo."

Se trago, entonses, una de las samsadikas, i vido kon
alegria ke empesava a dezmenguarse imediatamente de boy.
En kuanto fue bastante chika para pasar por la puerta,
korrio afuera de la kaza, i se enkontro kon un grupo bien
grande de animalikos i pasharos ke la asperavan afuera. El
povre lagartiko, Bill, estava en el sentro, sostenido por dos
konejikos de indias, ke le davan a bever algo de una redoma.
Todos korrieron enverso Alisia en el momento en ke aparesio;

ama Alisia se echo a korrer kuanto rapido ke pudo, i muy presto se topo segura en una espesa shara.

"Lo primero ke tengo ke azer," se disho Alisia, mientres sorreteava por la shara, "es kreser de muevo a mi boy natural; i lo segundo es topar el kamino para akeya linda guerta. Kreo ke esto sera el mijor plano."

Era sin duda un plan ekselente, bien aranjado de un modo klaro i simple. La unika difikultad era ke no tenia la menor idea de komo yevarlo a kavo; i, mientres katava kon ansiedad entre los arvoles, un ladreo chiko i agudo, djusto ensima de su kavesa, la izo mirar pishin arriva.

Un enorme perriko la mirava desde arriva kon sus grandes i redondos ojos, alargando debilmente un tabaniko para tokarla. "Ke kozika meskinika!" disho Alisia, en un tono karinyozo, i trato muy fuerte de rechiflarle, ma estava tambien terrivlemente asarada por la pensada ke el podia estar ambriento, i, en este kavzo, lo mas probavle era ke la devorara, malgrado todo su karinyo.

Kaje sin saver lo ke azia, kojio una ramika i la detuvo enfrente del perriko, ke al verla dio un salto kon las kuatro pachas en el aire, kon un ladreo de plazer, i se presipito sovre el paliko komo si iva a despedasarlo. Entonses Alisia se eskondio presto detras de un gran kadro para no ser revolkada i, kuando aparesio por el otro lado, el perriko torno a presipitarse sovre el palo, kayendo pachas arriva en su korrishko a alkansarlo. Entonses Alisia, pensando ke akeyo se paresia muncho a un djugo kon kavayo de karosa, i espantandose a kada momento de ser trespizada por sus pachas, torno a refujiarse detras del kadro. Entonses el kachorro empeso una seria de atakes kortos kontra el palo, korriendo kada vez un poko adelantre i luego bastante atras, i ladrando i ronkando todo el tiempo, asta ke enfin, se asento a sierta distansia, espalankandose kon la elguenga kolgandole afuera de la boka i sus grandes ojos medio serrados.

Esto le paresio a Alisia una buena oportunidad para fuirse. Ansi ke se echo a korrer birdenbiri, i korrio asta ke se kanso muncho, kaje no pudo respirar, i asta ke el ladreo del kachorro sono muy amenguado a lo leshos.

"I, ainda, ke kachorriko tan kerido era!" disho Alisia, mientres se apoyava kontra una kampania para deskansar i se aventava kon una de las ojas. "Me gustaria ambezarle unas kaskarikas, si—si solo tenia el boy konvenivle para azerlo! Guay de mi! Kaje me olvidi ke tengo ke kreser de muevo! Veamos: Komo se puede azer? Supozo ke ternia ke komer o ke bever alguna koza, ama la grande kestion es 'Ke?'"

La grande kestion, por seguro, era: "Ke?" Alisia miro al su derredor, echando su mirada sovre las flores i las yervas, ma no vido nada ke tuviera aspekto de ser la koza djusta para ser komida o bevida en estas sirkunstansias. Avia un grande fongo serka de eya, kaje de la mizma altura ke eya; i kuando miro debasho de el, i sovre sus ambos lados, i detras de el, le vino la idea de ke lo mijor seria mirar a ver lo ke avia ensima de el.

Se aparo sovre las puntas de sus dedos, i miro por ensima del bodre del fongo, i sus ojos se enkontraron imediatamente kon los ojos de un gran guzano azul, ke estava asentado ensima del fongo kon los brasos aplegados, travando trankilamente una larga nargile, sin dar la menor atension a eya, ni a ninguna otra koza.

Konsejo de un Guzan

El Guzano i Alisia se miraron en silensio por un sierto tiempo. Enfin, el Guzano kito la nargile de la boka, i se adreso a eya en una boz haraganika i dormida.

"Ken sos *tu*?" disho el guzano.

No era una forma enkorajante de empesar una konversasion. Alisia arrespondio un poko entravada: "Yo— apenas lo se, senyor, por el momento, a lo menos se ken *era* al alevantarme esta manyana, ma kreo ke me troki unas kuantas vezes desde entonses."

"Ke keres dezir kon esto?" pregunto el Guzano kon severidad. "Esplikate a ti mizma!"

"No puedo esplikarme a *mi mizma*, senyor," disho Alisia, porke yo no so yo mizma, ya lo ves."

"No veo nada," disho el Guzano.

"Me espanto ke no pueda esplikarlo mas klaramente," respondio Alisia kon muncha afabilidad, "porke no lo puedo entender ni yo mizma, para empesar; i esto de tener tantos modos de boy en un mizmo dia me konfunde muncho."

"No es ansi," disho el Guzano.

"Bueno, puede ser ke no lo tenias konsiderado ansi asta agora," disho Alisia, "ama kuando te vas a transformar en un golem—esto te va okurrir un dia, saves—i despues en un gayiko, me parese ke todo te paresera un poko adjaib, verdad?

"Aun ni pokito," disho el Guzano.

"Bueno, puede ser ke vuestros sentimientos son diferentes de los mios," disho Alisia, "Lo ke se es ke seria muy adjaib para *mi*."

"Tu!" disho el Guzano kon dezdenyo, "Ken sos *tu?*"

Lo ke los atorno atras otra vez al empesijo de la konversasion. Alisia se konsentio un poko irritada kon el Guzano, por estas notas *tan* kortas, i le disho muy seriamente: "Me parese ke sos tu el ke deve dezirme primero ken sos *tu.*"

"Porke?" disho el Guzano.

Era otra pregunta difisil, i komo Alisia no pudo pensar sovre ninguna buena razon, i komo el Guzano paresia estar *muy* malumorado, le dio la espalda i empeso a alesharse.

"Atornate!" la yamo el Guzano. "Tengo algo importante ke dezirte!"

Esto sonava prometedor, por sierto: Alisia retorno atras.

"Guadrate de bataya," disho el Guzano

"Es esto todo?" disho Alisia, tragandose su ravia lo mejor ke pudo.

"No," disho el Guzano.

Alisia penso ke seria mijor asperar, komo ya no tenia otra koza ke azer, i puede ser, despues de todo, ke le kontara algo ke meresera la pena. Durante algunos minutos el Guzano sigio fumando sin dezir nada, ma enfin avrio los brasos, kito el nargile de su boka i disho: "Ansi ke tu pensas ke avias trokado, no?"

"Me espanto ke si, senyor," disho Alisia, "no puedo akodrarme de kozas komo antes, i no me konservo del mizmo boy ni diez minutos suksesivos."

"No puedes akodrarte de *ke* kozas?" disho el Guzano.

"Bueno, trati de resitar '*Komo la industrioza bezba*', ma todo me salio diferente!" respondio Alisia en una boz muy melankolika.

"Resita '*Viejo sos, padre William*'," disho el Guzano.
Alisia aplego sus manos i empeso:—

"*Viejo sos, padre William,*" disho 'l manseviko
　　"*I s'enblakesio tu kaveyo,*
Kon esto, t'aparas kom'un klaviko
　　Sovre tu testa—komo azes akeyo?"

"*En mi mansevez aun m'espanti*
　　Ke me danyara mi meoyo,
Agora, no tengo ayi nada, noti
　　I lo ago kon teson, sin apoyo!"

"Viejo sos, leshos de manseves,
*   I ya sos bien godriko i groso—*
Yene, boltadura a la reves
*   Izites sin dingun esforso!"*

"En mi mosedad yo uzava
*   Mis muskulos guadrar sustalís*
Kon enguente ke pumadeava—
*   Merka dos, ke son berahalís."*

"Viejo sos, i ya son tus keshadas
Zaifes—solo mashkan lo blando—
Yene, un pato en una aferrada
Tragates sin dinguna kesha dando."

"En mi mosedad yo uzava
Barajar sin fin kon mi'spoza
I la fuersa ke d'ayi yo kitava
Me kedo asta oy sin ferroza."

"Viejo sos, i ya no es kreivle
  Ke tu ojo es ainda tindriz—
Yene, balansates anguila
  Sovre 'l punto de tu panariz!"

"Respondi ya tres vezes kon sensia
  Asta kuando te vas kabarear?
Vate! no tengo pasensia,
  Oir tanto dahtanear!"

"Esto no esta bien dicho," disho el Guzano.

"No muy bien dicho, me espanto," disho Alisia kon timidez; "algunas de las palavras fueron trokadas."

"Esta yerrado del prinsipio asta el kavo," disho el Guzano desizivamente, i kayo un silensio de unos kuantos minutos.

El Guzano fue el primero en avlar.

"De ke boy keres ser?" demando.

"Oh, no so partikolar en loke toka al boy," apresuro a responder Alisia. "Solo ke a uno no le gusta estar trokando tan frekuentemente, saves."

"Yo no se," disho el Guzano.

Alisia no disho nada: Nunka antes en su vida la avian kontradezido tanto, i sintio ke se le estava akavando la pasensia.

"Estas kontente agora?" disho el Guzano.

"Bueno, me gustaria ser un *poko* mas grande, senyor, si no te importa," disho Alisia. "Siete sentimetros es una altura tan mizeravle."

"Es una altura perfekta!" disho el Guzano muy airado, alsandose arriva al avlar (tenia exaktamente siete sentimetros de altura).

"Ama yo no esto akostumbrada a eya!" supliko la povre Alisia kon boz amanzioza. I penso para si mizma: "Makare estas kriaduras no se ofendieran tan fachilmente!"

"Te vas akostumbrar kon el tiempo," disho el Guzano, i torno a meterse la nargile en su boka i empeso otra vez a fumar.

Esta vez Alisia aspero kon pasensia asta ke se dechidiera a avlar de muevo. Al kavo de uno o dos minutos, el Guzano kito la nargile de la boka i bostejo una o dos vezes i se sakudio. Despues, abasho del fongo i removio por la yerva, i andando remarko: "Un lado te ara mas alta, i el otro lado te ara mas basha."

"Un lado de *ke*? El otro lado de *ke*?" penso Alisia de si para si.

"Del fongo," disho el Guzano, komo si eya lo uviera preguntado en boz alta; i al kavo de un otro momento se pedrio de vista.

Alisia se kedo por un momento mirando pensativa el fongo, tratando de deskuvrir kuales serian sus dos lados i, komo era perfektamente redondo, topo ke era un problema muy fuerte. Portanto, enfin, estendio sus brasos kuanto lo pudo alderredor del fongo i arranko kon kada mano un pedasiko.

"I agora kual es kual?" se disho, i trinko un pedasiko de la mano derecha, para ver el efekto: un minuto despues, konsintio un golpe violente debasho de su menton. Aharvo su pie!

Se asusto muncho kon este trokamiento tan supitanio, ma entendio ke no avia tiempo de pedrer siendo se estava enchikesiendo rapidamente; entonses, se echo de vista a komer del otro pedaso. Su menton estava tan apretado kontra su pie, ke apenas le kedava espasio para avrir su boka, ma reusho azerlo enfin, i pudo tragar un bokado del pedaso de la mano iskierda.

"Udjula, mi kavesa esta libre enfin!" disho Alisia en un tono de entuziasmo, ke de vista se troko en alarma, kuando deskuvrio ke sus ombros no se podian ver: todo lo ke alkanso a ver kuando abasho sus ojos, era una largura imensa de garon, ke paresia elevarse komo un troncho de una mar de ojas vedres ke se pozava muy leshos por debasho de eya.

"Ke puede ser todo este vedre?" disho Alisia. "I por onde tenian ido mis ombros? I, oh, mis povres manos, komo es ke no vos puedo ver?" Las movia de un lado a otro mientres avlava, ma no paresio tener ningun rezultado, salvo una lijera retembla en las leshanas ojas vedres.

Komo no avia modo de elevar sus manos asta su kavesa, trato de abashar su kavesa asta eyas, i deskuvrio kon entuziasmo ke su kueyo podia doblarse kon sierta fachilidad en kualseker direksion, komo un serpiente. Alkanso a atorser su kavesa i abasharla en un grasiozo zigzag, i iva a dalearse entre las ojas, ke deskuvrio no eran mas ke las simas de los arvoles, abasho los kuales avia kaminado mas antes, kuando una aguda chuflatina la izo retirarse pishin: una grande palomba bolava kontra su facha i la aharvava violentamente kon sus alas.

"Serpiente!" grito la Palomba.

"Yo *no* so un serpiente!" disho Alisia kon gran grinia, "Deshame en paz!"

"Serpiente, lo repito!" repitio la Palomba, aunke en un tono mas atenuado, i adjusto en un modo de empido: "Ya aprovi todo modo de medida, i nada dio rezultado!"

"No tengo la mas chika idea de lo ke estas avlando!" disho Alisia.

"Provi las raizes de los arvoles, i provi las rivas, i provi los zerkos," kontinuo la Palomba, sin dar atension a Alisia, "Ama estos serpientes! No se puede satisfazerlos!"

Alisia se sentia mas i mas asombrada, ama penso ke no avia provecho en dezir nada mas asta ke la Palomba terminara su avla.

"Komo si no fuera bastante enfasio achokar los guevos!" disho la Palomba. "Ma devo estar kuidandome de los serpientes noche i dia! No podi serrar el ojo durante tres semanas!"

"Me atristo muncho ke sufres tantas molestias," disho Alisia, ke empesava a komprender.

"I djusto kuando tomi el arvol mas alto de la shara," kontinuo la Palomba, alsando su boz asta un chiyido, "i djusto kuando me kreia por fin ser libre de eyos, me kaye atorsiendo desde el sielo! Uf, Serpiente!"

"Ma yo no so un serpiente, te digo!" disho Alisia, "Yo so una—yo so una—"

"Bueno, *ke* sos?" disho la Palomba. "Veo ke estas tratando de inventar algo!"

"So—so una kriaturika," disho Alisia, yena de dudas, siendo se akodro de todos los trokamientos ke avia sufrido durante akel dia.

"Otrun kuento, halbú!" disho la Palomba, en un tono del mas profundo despresio. "Tengo visto munchas ninyas durante mi vida, ama nunka *una* kon un kueyo komo este! No, no! Sos un serpiente, i no ay taam de niegarlo. Supozo ke agora me diras ke nunka avias gostado un guevo!"

"Sierto ke avia gostado guevos," disho Alisia, ke era una ninya ke siempre dezia la verdad; "ama ninyas chikas komen guevos kaje igual ke los serpientes, saves."

"No lo kreo," disho la Palomba, "ma si es verdad ke lo azen, entonses no son mas ke una manera de serpientes, i esto es todo lo ke puedo dezir."

Era una idea tan mueva para Alisia, ke kedo kayada por uno o dos minutos, lo ke dio oportunidad a la Palomba de adjustar: "Estas bushkando guevos, *esto* lo se muy bien; i ke diferensia ay si sos una ninya chika o un serpiente?"

"Para *mi* ay grande diferensia," pishin disho Alisia; "ama, en este kavzo no esto bushkando guevos, i si estuviera bushkando, no kerria los tuyos: no me gustan krudos."

"Bueno, aleshate, entonses!" disho la Palomba kon un tono anojado, mientres tornava a arresentarse en su nido. Alisia se doblo entre los arvoles kuanto podia, siendo su kueyo se le entrensava entre las ramas i de vez en kuando tenia ke pararse para delivrarlo. Despues de un rato, se arrekodro ke ainda tenia los pedasos del fongo en sus manos, i se metio a lavorar muy akavidoza, trinkando primero uno i luego el otro, i kresiendo a vezes i achikandose a otras, asta ke reusho a alkansar su altura normal.

Azia tanto tiempo ke no se veia en su boy korekto, ni afilú aproksimado al suyo, ke al prinsipio lo sintio un poko estranyo. Ama se akostumbro a el en unos kuantos minutos i empeso a avlar kon si mizma komo uzava. "Alora, ya fue echa agora la mitad de mi plan! Ke tilisimlís son estos trokamientos! No puedo estar nunka segura de lo ke va ser de mi de un minuto al otro! Andjak, tengo rekovrado mi boy djusto i normal. El eskopo siguiente es entrar en akeya ermoza guerta—komo se puede realizar esto, me maraviyo?" Mientres dizia esto, ayego ensupito a un lugar avierto, kon una kazika de poko mas de un metro de altura. "Sea ken sea el ke biva ayi," penso Alisia, "no puedo prezentarme siendo de este boy. Komo los enlokeseria del espanto!" Entonses, empeso a modriskear una vez mas el pedasiko de la mano derecha, i no se atrivio a aserkarse a la kazika asta ke tuvo unos vente sentimetros de altura.

Puerko i Pimienta

*D*urante uno o dos minutos se kedo mirando la kaza, preguntandose lo ke iva a azer, kuando enduna, salio korriendo de la shara, un serviente en uniforma (konsidero ke devia ser un serviente porke iva kon uniforma; otramente, de djuzgar solo por su kara, avria dicho ke era un peshe), i aharvo fuertemente a la puerta kon el punyo de su mano. Avrio la puerta otro serviente en uniforma, kon una kara redonda i grandes ojos de rana; i los dos servientes, noto Alisia, yevavan perukas empolvadas i frizadas sovre sus testas. Le entro una gran kuriozidad por saver lo ke estava pasando i se aserko envaniko de la shara para eskuchar.

El Serviente-Peshe empeso kon kitar de debasho de su braso una gran karta, kaje tan grande komo el mizmo, i se la entrego al otro, diziendo en tono solenel: "Para la Dukeza. Una invitasion de la Reina para djugar al kroket." El Serviente-Rana lo repitio, en el mizmo tono solenel, solo trokando un poko el orden de las palavras: "De la Reina. Una invitasion para la Dukeza, para djugar al kroket."

Entonses ambos izieron un profundo enkorvamiento, i sus empolvados rincholes se entrensaron.

Alisia se rio tanto al verlo, ke tuvo ke korrer atras para eskonderse en la shara por miedo de ke la oyeran; i, kuando atorno a asomarse, el Serviente-Peshe se avia ido i el otro estava asentado en el suelo serka de la puerta, mirando a la bovaneska el sielo.

Alisia se aserko kon timidez a la puerta i aharvo.

"No ay ningun provecho en aharvar a la puerta," disho el Serviente, "i esto por dos razones. Primero, porke yo esto en el mizmo lado de la puerta ke tu; segundo, porke estan aziendo tanta baraná adientro de la kaza, ke es imposivle ke te oigan." I, en efekto, avia ariento una baraná ekstraordinaria—un konstante ruido de gritalina i sarnudadero, i de vez en kuando un patlak, komo si un plato o una oya se uviera rompido en pedasos.

"Dime entonses, por favor," disho Alisia, "komo puedo entrar adientro?"

"Tendrias alguna razon de aharvar a la puerta" sigio el serviente sin dar atension a eya, "si tuvieramos la puerta entre mozotros. Por enshemplo, si tu estuvieras *ariento*, podrias aharvar i yo te desharia salir, saves." Mirava arriva al sielo, mientres avlava, i esto le paresio a Alisia desizivamente deskortes. "Ama puede ser no puede evitarlo," se disho para si. "Tiene los ojos *tan* arriva en la parte superior de su kavesa. De toda manera, podria responder a preguntas.—Komo puedo entrar adientro?" repitio en boz alta.

"Vo asentar aki," observo el Serviente, "asta amanyana—"

En este momento la puerta de la kaza se avrio, i un gran plato salio bolando afuera, enderecho enverso la kavesa del Serviente: solo le refrego la nariz i se rompio en pedasos kontra uno de los arvoles ke avian detras de el.

"—o el dia despues de amanyana, puede ser," kontinuo el Serviente en el mizmo tono, komo si no uviera pasado absolutamente nada.

"Komo puedo entrar?" pregunto Alisia alsando su boz.

"Deves realmente entrar?" disho el Serviente. "Esta es la primera kestion, saves."

Sin duda lo era, ma a Alisia no le agrado ke se lo disheran. "Es veramente terrivle," murmureo de si para si, "la manera en ke estas kriansas razonan! Puede kitar al benadam loko!"

El Serviente paresio pensar ke esta era una buena oportunidad para repetir su observasion, kon variasiones: "Vo asentar aki," disho, "alternativamente dias i dias."

"Ma ke tengo ke azer *yo*?" disho Alisia.

"Todo lo ke te agrada," disho el Serviente, i empeso a chuflar.

"Oh, no ay ningun provecho en avlar kon el!" disho Alisia kon dezesperansa: "es un perfekto idiota!" I avrio la puerta i entro adientro.

La puerta yevava direktamente a una gran kozina, ke estava yena de umo de un lado a otro. En el sentro, la Dukeza estava asentada sovre un bankito de tres piezes, meshiendo a un bebe; la rijindera se abokava sovre el fuego, kuchareando un gran kalderon ke paresia estar yeno de supa.

"Esta supa tiene, por sierto, demaziado pimienta!" se disho Alisia, mientres asoltava un sarnudo.

En verdad, avia demaziado pimienta en el *aire*. Afilú la Dukeza sarnudava de vez en kuando; i en kuanto al bebe, sarnudava i guayava alternativamente, sin un momento de repozo. Los unikos seres ke en la kozina no sarnudavan eran la rijindera i un gran gato ke avia asentado serka del fuego, sonriendo de oreja a oreja.

"Por favor, podria dezirme," disho Alisia kon un poko de timidez, siendo no estava muy segura si fuera korrekto de su parte empesar la konversasion, "porke sonrie su gato de esta manera?"

"Es un Gato de Cheshire," disho la Dukeza, "i es por esto. Puerko!"

Disho esta ultima palavra kon una violensia tan sopetania, ke Alisia dio un kodjá salto, ama vido un momento despues ke era dirijida al bebe, i no a eya, de modo ke tomo el koraje, i sigio avlando:—

"No savia ke los Gatos de Cheshire sonrien siempre; en realidad, no savia ke gatos pueden sonreir."

"Todos pueden," disho la Dukeza, "i la mayor parte de eyos lo azen."

"No se de ninguno ke lo aze," disho Alisia muy amavlamente, sintiendose kontente de avrir una konversasion.

"No saves muncho," disho la Dukeza, "i esto es un fakto."

A Alisia no le agrado del todo el tono de esta nota, i penso ke seria konveniente bushkar otro tema de konversasion. Mientres estava tratando de pensar en uno, la rijindera kito el kalderon de supa del fuego, i de vista, empeso a lansar todo lo ke kaiya en sus manos kontra la Dukeza i el bebe— primero las tenajas de fierro del fuego, despues una luvia de tendjerés, platos i chinís. La Dukeza no dio ninguna atension a eyos, ni afilú kuando la aharvaron; i el bebe guayava ya tanto ke era imposivle saver si los golpes lo danyavan o no.

"Oh, por favor, ten kudiado kon lo ke azes!" grito Alisia, saltando de un lado a otro kon sar i terror. "Oh, le va a arrankar su presiosa nariz!" adjusto al ver ke un kalderon extraordinariamente grande bolava muy serka a el, i kaje lo arrankava.

"Si kada uno se okupava de sus propios echos," disho la Dukeza en un grunyido enrokesido "el mundo se arrodeva muncho mas presto ke oy."

"Lo kual no seria de ningun avantaje," disho Alisia, ke se alegrava de tener una oportunidad de amostrar un poko de su saviduria. "Solo pensa lo ke esto aria kon el dia i la noche! Saves ke a la tierra le toma ventikuatro oras kumplir un djiro alderredor de su eje—"

"Avlando de acha," disho la Dukeza, "ke le korten la kavesa!"

Alisia miro, bastante asarada, a la rijindera para ver si se mostrava dispuesta a azer algo de lo ke le avia referido, ma la rijindera estava muy okupada kuchareando la supa i no paresia aver oido nada, de modo ke Alisia sigio diziendo: "Ventikuatro oras, *kreo*, o son dodje? Yo—"

"Oh, no me atagantes," disho la Dukeza, "nunka pude somportar los kalkulos!" I kon esto empeso a mesher de muevo al ninyo mientres le kantava una manera de rurulí, sakudiendolo violentamente al kavo de kada verso:—

> *"Avla kon rudeza a tu kriatura*
> *I aharvalo kuando va sarnudar*
> *Porke aze esto a dar tortura*
> *Tambien para inkomodar."*

KORO
(Kon partisipasion de la rijindera i el bebe):—
"Gua! gua! gua!"

Mientres la Dukeza kantava la segunda estrofa, kontinuava sakudiendo violentamente al bebe de arriva abasho, i el povre chiko guayava tanto ke Alisia apenas podia oir las palavras:—

> *"A mi ijo avlo kon gran satanisio*
> *Lo aharvo kuando sarnuda*
> *Porke puede topar siempre el visio*
> *En la pimienta sin duda."*

KORO

"Gua! gua! gua!"

"Aki! puedes mesherlo un poko, si keres!" disho la Dukeza a Alisia, arrojando a eya el bebe al dezir esto. "Yo tengo ke ir a atakanarme para djugar al kroket kon la Reina," i se apresuro a salir afuera de la kamareta. La rijindera le arrojo kasuela al salir, ma manko de aharvarla.

Alisia prendio al bebe kon sierta difikultad, siendo era una kriaturika de forma estranya i kitava afuera sus brasos i piernas en todas las direksiones, "djusto komo una estreya de mar," penso Alisia. El povre chikitiko ronkava komo una makina de vapor kuando eya lo prendio, i se doblava i se estirava de tal modo ke durante los primeros minutos Alisia no pudo azer otra koza ke sostenerlo en brasos.

Al punto ke topo el modo de tenerlo en brasos (ke era retorserlo en una manera de inyudo, i luego tomarlo de la oreja derecha i del pie iskierdo para impedir ke se deziziera), lo kito al aire libero. "Si no me yevo a este ninyo konmigo," penso Alisia, "seguro ke lo matan en un dia o dos. No seria un krimen desharlo atras?" Disho estas ultimas palavras en alta boz, i el chikitiko le respondio kon un grunyido (akeya ora ya avia deshado de sarnudar). "No grunyas," disho Alisia. "Esta no es, del todo, la forma apropiada de ekspresarse."

El bebé grunyo otra vez, i Alisia observo su kara kon ansiedad para ver ke es ke le paso. No avia duda de ke tenia una nariz *muy* retorsida, muncho mas semejada a un puerkito ke a una verdadera nariz. Ademas, los ojos se le estavan aziendo demaziado pekenyos para ser ojos de bebe. En jeneral, a Alisia no le agradava del todo el aspekto de akeyo. "Ma puede ser ke es porke estava yorando," penso, i le miro otra vez en sus ojos, a ver si avia alguna lagrima.

No, no avian lagrimas. "Si vas a konvertirte en un puerkito, mi kerido," disho Alisia seriamente, "yo no tengo nada mas ke azer kontigo. Dechidete agora!" La povre kriaturika yoro de muevo (o grunyo? era imposivle dezir kual de los dos), i los dos anduvieron en silensio durante un rato.

Alisia estava empesando a pensar de si para si: "I agora, ke vo a azer yo kon esta kriatura kuando torne a mi kaza?" kuando el bebe grunyo de muevo kon tanta violensia ke torno a mirarlo alarmada. Esta vez no avia la menor duda: no era ni mas ni menos ke un puerkito, i konsentio ke seria absurdo seguir kargandolo.

Ansi ke lo desho en el suelo, i sintio un revahá grande al ver ke echava a takear trankilamente enverso la shara. "Si uviera kresido," se disho a si mizma, "uviera sido un ninyo terrivlemente feo, ama komo puerkito me parese ermoziko."

I empeso a pensar en otros ninyos ke eya konosia i ke serian muncho mas ermozikos komo puerkos, i estava diziendo a si mizma, "si supieramos la manera de trans-formarlos—" kuando se asarava un poko al ver ke el Gato de Cheshire estava asentado sovre la rama de un arvol a pokos metros de distansia de eya.

El Gato solo sonrio kuando vido a Alisia. Paresia tener buen karakter, penso, ma tambien tenia unas unyas *muy* largas i muchisimos dientes, de modo ke konsintio ke devia tratarlo kon respekto.

"Senyor Gato de Cheshire," empeso Alisia kon timidez, siendo no savia del todo si le agradaria akel modo de adresarse a el: andjak, el Gato solo sonrio kon una sonriza un poko mas ancha. "Ven veras, le agrado asta agora," penso

Alisia i kontinuo: "Puedes dezirme, por favor, en ke kamino devo ir de aki?"

"Esto depende en gran parte por onde keres ir," disho el Gato.

"No me importa muncho por onde—" disho Alisia.

"Entonses no importa muncho el kamino ke tomes," disho el Gato.

"—kahen ke ayege a *kualker lugar*," adjusto Alisia komo esplikasion.

"Oh, puedes estar segura ke lo aras," disho el Gato, "si solo kaminas bastante tiempo."

Alisia konsidero ke esto no se podia niegar, entonses trato de azer otra pregunta: "Ke manera de djente bive por aki?"

"En *akeya* direksion," disho el Gato, moviendo su pacha derecha, "bive un Bonetero, i en *akeya* direksion," moviendo la otra pacha, "bive un Lievre de Marso. Vijita al ken keres: los dos estan lokos."

"Ama yo no kero estar entre djente loka," mensiono Alisia.

"Oh, esto no lo puedes evitar," disho el Gato: "todos estamos lokos aki. Yo esto loko. Tu estas loka."

"Komo saves ke yo esto loka?" disho Alisia.

"Deves estarlo," disho el Gato, "o no avrias venido aki."

Alisia penso ke esto no demostrava nada. Portanto, kontinuo: "I komo saves ke tu estas loko?"

"Para empesar," disho el Gato, "los perros no estan lokos. Rekonoses esto?"

"Supozo ke si," disho Alisia.

"Muy bien," kontinuo el Gato, "saves ke los perros grunyen kuando estan arraviados, i mueven la koda kuando estan kontentes. Agora, yo grunyo kuando esto kontente, i muevo la koda kuando esto arraviado. Por esto, esto loko."

"A esto *yo* le yamo gorgoreamiento, no grunyido," disho Alisia.

"Yamalo komo keras," disho el Gato "Vas a djugar al kroket kon la Reina?"

"Me gustaria muncho," disho Alisia, "ma no fui invitada ainda."

"Mos veremos ayi," disho el Gato, i se desparesio.

Alisia no estuvo tan sorprendida por esto, ya estava akostumbrada a ke unas kozas estranyas okurieran. Mientres estava mirando enverso el lugar onde estuvo, ensupito se aparesio otra vez.

"A propó, ke avia pasado kon el bebe?" disho el Gato. "Kaje me olvidi de preguntar."

"Se transformo en un puerkito," arrespondio Alisia d'avagariko, komo si el avia arretornado de una manera natural.

"Ya savia ke esto es lo ke va ser," disho el Gato, i se desparesio otra vez.

Alisia aspero un rato, medio esperando verlo una vez mas, ma no aparesio i, pasados uno o dos minutos, anduvo en la direksion ande, segun se avia dicho, bivia el Lievre de Marso. "Boneteros ya tengo visto antes" se disho para si: "el Lievre de Marso sera muncho mas interesante i, puede ser, komo estamos en mayo, no estara loko—a lo menos no tan loko komo en marso." Mientres dezia estas palavras, miro arriva, i ayi estava el Gato una vez mas, asentado sovre la rama de un arvol.

"Dishites 'puerkito' o 'guerkito'?" disho el Gato.

"Dishe 'puerkito'," arrespondio Alisia, "i me gustaria ke desharas de apareser i despareserte tan denduna: me das shasheos."

"De akordo," disho el Gato; i esta vez se desparesio bastante d'avagariko, empesando por la punta de la koda, i terminando por la sonriza ke permanesio algun tiempo, despues ke el resto avia desparesido.

"Bueno! Tengo visto munchas vezes un gato sin sonriza," penso Alisia, "ama una sonriza sin gato! Es la koza mas kurioza ke avia visto en toda mi vida!"

No tuvo ke kaminar muncho para ayegar enfrente de la kaza del Lievre de Marso: penso ke tenia ke ser su kaza, porke las chimeneas tenian forma de largas orejas i el techo estava kuvierto de samara. Era una kaza tan grande, ke no kijo aserkarse sin trinkar antes un pedasiko del fongo de la mano iskierda, kon lo ke kresio asta una altura de unos sesenta sentimetros: aun ansi, se aserko kon sierta timidez, mientres se dezia a si mizma: "Supozamos ke este loko de verdad? Uviera sido mijor ir a ver al Bonetero!"

Un Loko Ziafét de Te

Avia ayi una meza aranjada, debasho de un arvol, delantre de la kaza, i el Lievre de Marso i el Bonetero estavan tomando el te. Asentado entre eyos avia una Marmitá, profundamente dormida, i los otros la uzavan komo almoada, apoyando sus kovdos sovre eya, i avlando por ensima de su kavesa. "Muy inkomodo para la Marmitá," penso Alisia, "ma komo esta dormida, supozo ke no le importa."

La meza era muy grande, ma los tres se presavan djuntos en una de sus eskinas. "No ay luguar! No ay luguar!" gritaron, kuando vieron ke Alisia se aserkava. "Esta *yeno* de luguar!" disho Alisia indinyada, i se asento en una grande poltrona en un kavo de la meza.

"Toma un poko de vino," disho el Lievre de Marso en un tono enkorajante.

Alisia miro por toda la meza, ma no avia ayi otra koza mas ke te. "No veo ningun vino," observo.

"No lo ay," disho el Lievre de Marso.

"Entonses, no fue muy amavle de tu parte ofresermelo," disho Alisia indinyada.

"No fue muy amavle de tu parte asentarte sin ser invitada," disho el Lievre de Marso.

"No savia ke la meza era *tuya*," disho Alisia; "esta arresentada para muncho mas de tres personas."

"Tus kaveyos nesesitan arrapadura," disho el Bonetero. Estava mirandola a Alisia durante un tiempo kon muncha kuriozidad, i estas eran sus primeras palavras.

"Deves aprender a no azer observasiones tan personales," disho Alisia kon sierta severidad, "es una gran deskortezia."

El Bonetero avrio unos ojos al oir esto, ama todo lo ke disho fue: "En ke se parese una graja a un eskritorio?"

"Ayde, vamos a divertirmos agora!" penso Alisia. "Me alegro ke tienen empesado a dezir endivinansas.—Kreo ke puedo endivinar esta," adjusto en boz alta.

"Keres dezir ke krees ke puedes topar la solusion?" disho el Lievre de Marso.

"Exaktamente," disho Alisia.

"Entonses deves dezir lo ke pensas," kontinuo el Lievre de Marso.

"Ya lo digo," se apresuro a responder Alisia. "O a lo menos—a lo menos penso lo ke digo—es lo mizmo, no?"

"No es lo mizmo, de ninguna manera!" disho el Bonetero. "Komo? Es komo seria lo mizmo dezir 'veo lo ke komo' ke 'komo lo ke veo'!"

"I seria lo mizmo dezir," adjusto el Lievre de Marso, "'me gusta lo ke tengo' ke 'tengo lo ke me gusta'!"

"I seria lo mizmo dezir," adjusto la Marmitá, ke paresia avlar en sus suenyos, "'respiro kuando durmo' ke 'durmo kuando respiro'!"

"*Es* lo mizmo en tu kavzo," disho el Bonetero, i aki la konversasion se interrompio, i el grupo se kedo en silensio durante un minuto, mientras Alisia pensava en todo lo ke podia akodrarse sovre grajas i eskritorios, lo ke no era muncho.

El Bonetero fue el primero en romper el silensio. "Ke dia del mez es oy?" disho, dirijiendose a Alisia. Se avia kitado la ora de la aldikera, i la mirava kon ansiedad, sakudiendola de vez en kuando i aserkandola a la oreja.

Alisia se kedo pensando un poko i disho: "Es el kuatro."

"Dos dias de error!" sospiro el Bonetero. "Te dishe ke la manteka no konviene para la makineria!" adjusto, mirando anojado el Lievre de Marso.

"Era manteka de la *mijor* kalidad," disho el Lievre de Marso umildemente.

"Si, ma deven averse mesklado kon eya algunas magajas," grunyo el Bonetero. "No devias utilizar el kuchiyo del pan."

El Lievre de Marso tomo la ora i la miro kahirlí: despues, la sumerjio en su tasa de te i la miro de muevo. Ama no se le okurrio nada mijor ke repetir su primera observasion: "Era manteka de la *mijor* kalidad, saves."

Alisia avia mirado por ensima de su ombro kon sierta kuriozidad. "Ke ora tan eglendjelia!" anoto. "Dize el dia del mez, i no dize la ora ke es!"

"I porke avria de azerlo?" murmureo el Bonetero. "Dize *tu* ora el anyo en ke estamos?"

"Desierto ke no," arrespondio Alisia aína. "Ama esto es porke estamos tanto tiempo en el mizmo anyo."

"Ke es djusto lo ke pasa kon mi," disho el Bonetero.

Alisia kedo terrivlemente maraviyada. Las palavras del Bonetero no paresian tener la menor sinyifikasion, i ainda, por seguro, era ladino. "Kaje no te entiendo," disho, tan amavlemente komo pudo.

"La Marmitá se durmio otra vez," disho el Bonetero, i le echo un poko de te kayente sovre su nariz.

La Marmitá sakudio la kavesa kon despasensia, i disho, sin avrir sus ojos: "Vaday ke, vaday ke; Es djusto lo ke yo mizma iva a dezir."

"Ya tienes endevinado la endivinansa?" disho el Bonetero, dirijiendose de muevo a Alisia.

"No, ya desvachei," disho Alisia. "Ke es la solusion?"

"No tengo la menor idea," disho el Bonetero.

"Ni yo," disho el Lievre de Marso.

Alisia sospiro enfasiada. "Kreo ke podriash aprovechar mijor el tiempo," disho, "i no pedrerlo en prezentar endivinansas sin solusion."

"Si konosias al Tiempo tan bien komo yo," disho el Bonetero, "no avlarias en pedrer*lo*. Es pedrer *a el*."

"No se lo ke keres dezir," disho Alisia.

"Desierto ke no lo saves!" disho el Bonetero, sakudiendo la kavesa kon despresio. "Me atrivo a dezir ke aun no avlates nunka kon Tiempo!"

"Puede ser ke no," arrespondio envaniko Alisia. "Ma lo ke se es ke avia batido el tiempo kuando estudiava muzika."

"Ah, esto lo esplika todo!" disho el Bonetero. "El no somporta ke lo baten. Agora, si estuvieras en buenas relasiones kon el, aria todo lo ke tu kijieras kon la ora. Por enshemplo, supozamos ke son las mueve de la manyana, djusto la ora de empesar las lisiones: solo tendrias ke dar murmureando un remez al Tiempo, i en una arrevatada aria arrodear la ora! La una i media, ora de komer!"

("Makare ke lo fuera," se disho el Lievre de Marso para si en un susurro.)

"Seria manyifiko, seguramente," disho Alisia, pensativa: "ama entonses—ainda no ternia ambre, saves."

"No, al prinsipio, puede ser," disho el Bonetero: "ma podias azer ke la una i media turara todo el tiempo ke te agradaria."

"Es esto lo ke azesh?" pregunto Alisia.

El Bonetero movio mungrinozo su kavesa. "Yo no!" arrespondio. "Mos peleimos el ultimo marso—djusto antes ke *este* se atavano, saves—" (i apunto kon la kucharika al Lievre de Marso) "—okurio durante el gran konserto ke dio la Reina de Korasones, i yo tenia ke kantar

> *'Briya, briya, mursielago,*
> *Me maraviyo, ke te ago?'*

Konoses esta kantiga, puede ser?"

"Avia oido algo semejante," disho Alisia.

"Kontinua, saves," sigio el Bonetero, "d'esta manera:—

> *'Bolas sovre todo'l mundo*
> *Kom'un tefsín alto i profundo.*
> *Briya, briya—'"*

Aki, la Marmitá se estremesio i empeso kantando entre suenyos: "*Briya, briya, briya, briya—*" i sigio ansi, tanto ke tuvieron ke darle un buen pelishko para ke se detuviera.

"Bueno, apenas avia terminado el primer verso," disho el Bonetero, "kuando la Reina echo una gritalina: 'Esta matando el tiempo! Ke le korten la kavesa!'"

"Ke espantavle ferosidad," s'esklamo Alisia.

"I desde entonses," kontinuo el Bonetero kon un tono mungrinozo, "no kere azer nada de lo ke yo le demando! Agora, son siempre las sesh de la tadre."

A Alisia se le okurio entonses una idea briyante. "Es esta la razon de ke tienen tantas tasas de te metidas aki?" pregunto.

"Si, esta es," disho el Bonetero kon un sospiro: "Siempre es la ora del te, y no tenemos tiempo para lavar la kozas entre te i te."

"Entonses lo ke azesh es movervos al derredor, supozo?" disho Alisia.

"Exaktamente," disho el Bonetero: "kuando las tasas se ensuzian."

"Ama, ke pasa kuando ayegash de muevo al prinsipio?" se atrivio a preguntar Alisia.

"Supozamos ke trokemos de tema," interrompio el Lievre de Marso bostejando. "Esto ya me kanso tanto. Propozo ke esta senyorita mos konte un kuento."

"No se ninguno, me espanto," disho Alisia, bastante alarmada por la propozision.

"Entonses ke lo aga la Marmitá!" gritaron los dos. "Despertate, Marmitá!" I empesaron a darle pelishkos kada uno por su lado al mizmo tiempo.

La Marmitá avrio avagar sus ojos. "No estava dormida," disho kon boz ronka i flaka. "Tengo oido todo lo ke deziash."

"Kontamos un kuento!" disho el Lievre de Marso.

"Si, por favor!" imploro Alisia.

"I apresurate a azerlo," adjusto el Bonetero. "No vayas a dormir otra vez antes de terminar."

"Avian de ser una vez tres ermanikas," empeso la Marmitá de gran prisa, "i se yamavan Elsie, Lacie i Tilie, i bivian en el fondo de un pozo—"

"I de ke bivian?" disho Alisia, ke siempre se interesava muncho por las kestiones de komer i de bever.

"Bivian de melasa," disho la Marmitá, despues de pensar un punto o dos.

"Esto no puede ser, saves," anoto Alisia kon amabilidad. "Se arian hazinas."

"I ansina fue," disho la Marmitá. "Se izieron *muy muy* hazinas."

Alisia trato de imajinarse ke modo de bivir tan ekstraordinario devia ser akel, ma esto le maraviyo muy demaziado, de modo ke kontinuo: "Ama, porke bivian en el fondo de un pozo?"

"Toma un poko mas de te," disho el Lievre de Marso muy seriozamente.

"No tomi nada de te dainda," respondio Alisia en tono ofendido, "de modo ke no puedo tomar mas."

"Keres dezir ke no puedes tomar *menos*," disho el Bonetero. "Es muy kolay tomar *mas* ke nada."

"Dinguno no demando tu opinion," disho Alisia.

"Ken esta aziendo agora observasiones personales?" pregunto el Bonetero trionfalmente."

Alisia no supo ke arresponder a esto, ansi ke se dediko a servirse un poko de te i pan kon manteka, i despues, se atorno enverso la Marmitá i le repitio su pregunta: "Porke bivian en el fondo de un pozo?"

La Marmitá se metio a pensarlo de muevo durante uno o dos minutos, i entonses disho: "Era un pozo de melasa."

"No existe tal koza!" Alisia empeso, muy arraviada, ma el Bonetero i el Lievre de Marso la izieron "Sh! Sh!" mientres la Marmitá anoto anojada: "Si no saves komportarte kon kortezia, mejor sera ke termines tu el kuento."

"No, por favor, kontinua!" disho Alisia muy umildemente. "No tornare a interromper. Me atrivo a dezir ke puede aver *uno*."

"Vaday ke uno!" disho la Marmitá indinyada. Andjak, konsintio a kontinuar. "I de este modo estas tres ermanikas—estavan estudiando a afigurar, travando—"

"Ke travavan?" disho Alisia, ke ya avia olvidado su promesa.

"Melasa," disho la Marmitá, sin azer ninguna atension esta vez.

"Kero una tasa limpia," interrompio el Bonetero, "moveremos un luguar mas adelantre."

Al dezir esto, paso al luguar proksimo; la Marmitá le sigio, el Lievre de Marso paso al sitio de la Marmitá, i Alisia, kaje sin kererlo, tomo el asiento del Lievre de Marso. El Bonetero era el uniko ke avia ganado algun ventaje kon el trokamiento, i Alisia estava bastante peor ke antes, porke el Lievre de Marso akavava de derramar el djarro de la leche en su plato.

Alisia no kijo ofender otra vez a la Marmitá, de modo ke empeso a avlar kon gran akavido: "Ama no entiendo. De onde travavan la melasa?"

"Se puede travar agua de un pozo de agua," disho el Bonetero, "porke no va a poderse travar melasa de un pozo de melasa—eh, tonta?"

"Ma estavan *ariento* del pozo," disho Alisia a la Marmitá, no kijendo dar atension a la ultima remarka.

"Vaday ke estavan," disho la Marmitá: "muy ariento."

Esta repuesta konfundio tanto la povre Alisia, ke desho ke la Marmitá kontinuara sin interromperla durante un rato.

"Estavan estudiando a afigurar," kontinuo la Marmitá, bostejando i fregandose los ojos, porke se estava adormesiendo; "i afiguravan todo modo de kozas—todo lo ke empesa kon la letra M—"

"Porke kon la M?" disho Alisia.

"I porke no?" disho el Lievre de Marso.

Alisia kedo kayada.

La Marmitá ya avia serrado entonses los ojos, i empesava a undirse en su esfuenyo. Ama, kon los pelishkos del Bonetero, se desperto de muevo kon un chiyidiko, i kontinuo "—lo ke empesa kon M, komo maasiyot, mundo, memoria i muchidumbre—ya saves, se dize kozas ke son mas 'mucho de muchidumbre'—tienes visto alguna vez el dizenyo de una muchidumbre?"

"En verdad, agora ke me lo preguntas," disho Alisia, muy alborotada, "no penso ke—"

"Entonses, sera mijor ke no avles," disho el Bonetero.

Esta ultima groseria era mas de lo ke Alisia podia somportar: se alevanto kon gran disgusto i se alesho de ayi. La Marmitá kayo dormida de vista, i ninguno de los otros dio importansia a su marcha, aunke miro atras una o dos vezes, medio esperando ke la yamaran: la ultima vez ke los vido, estavan tratando de meter la Marmitá adientro del chaylik.

"Por todo presio ke ay en'el mundo, no tornare a ir *aya* otra vez!" disho Alisia, mientres azia su kamino adientro de la shara. "Es el ziafet de te el mas estupido ke tenia visto en toda mi vida!"

Djusto kuando dezia estas palavras, atino ke uno de los arvoles tenia una puerta ke yevava ariento. "Ke kuriozo!" penso. "Ma todo es kuriozo oy. Kreo ke lo mijor sera entrar pishin ariento." I entro ariento.

Otra vez se topo en el gran vestibyul, i alado de la mezika de kristal. "Esta vez prekurare azerlo mijor," se disho a si mizma, i empeso por tomar la yavezika de oro i avrir la puerta ke yevava a la guerta. Entonses se dediko a trinkar el fongo (avia guadrado un pedaso en su aldikera), asta ke alkanso el boy de kaje trenta sentimetros. Entonses anduvo por el estrecho pasajiko i *entonses*—entonses se topo enfin en la guerta maraviyoza, entre las tarlás de las flores briyantes, i las freskas fuentes.

El Kampo de Kroket de la Reina

Un gran rozal se alsava serka de la entrada de la guerta: sus rozas eran blankas, ma avian ayi tres guertelanos okupados en boyadearlas de kolorado. A Alisia le paresio muy kuriozo, i se aserko a observarlos, i djusto kuando se aserko a eyos, oyo ke uno de eyos dezia: "Ten kudiado, Sinko! No salpikes boya sovre mi d'esta manera!"

"No pude evitarlo," disho Sinko, en tono anojado. "Siete me sakudio el kovdo."

Ante lo kual, Siete alevanto los ojos i disho: "De verdad, Sinko! Echas siempre la kulpa a los otros!"

"Mijor sera ke te akayes!" disho Sinko. "Ayer mizmo oyi dezir a la Reina ke meresias ke te korten la kavesa!"

"Por ke?" disho el ke avia avlado primero.

"Esto no es tu echo, Dos!" disho Siete.

"Si, es su echo!" disho Sinko. I vo a dezirselo—fue por yevarle a la kozinera bulbas de tulip en luguar de sevoyas."

Siete desho kaer la bádana al suelo, i estava empesando a dezir: "Bueno, de todas las indjustisias—" kuando sus ojos se enkontraron kazualmente kon Alisia, ke estava ayi observandolos, i se detuvo ensupito. Los otros echaron tambien su vista a eya, i los tres izieron una profunda reverensia.

"Ternesh la bondad de dezirme," disho Alisia kon sierta timidez, "porke estash boyadeando estas rozas?"

Sinko i Siete no disheron nada, ama miraron a Dos. Dos empeso en boz basha: "Alora, la verdad, senyorita, es ke esto tenia de ser un rozal kolorado, i mozotros sembrimos uno blanko por yerro, i si la Reina lo deskuvre, nos kortaran a todos la kavesa, saves. Ansi ke, komo puedes ver, senyorita, estamos aziendo lo posivle, antes de ke eya venga, para—"

En este momento, Sinko, ke avia estado mirando ansioza-
mente por la guerta, grito: "La Reina! La Reina!" i los tres
guertelanos se echaron imediatamente de fases al suelo. Se
oiya un ruido de munchos pasos, i Alisia miro a su derredor,
ansioza por ver a la Reina.

Primero, vinieron diez soldados yevando trefles; tenian la
mizma forma ke los tres guertelanos, rektangulara i plana,
kon las manos i los pies en las eskinas; despues los diez
kortizanos, adornados enteramente kon diamantes, i
kaminando, komo los soldados, de dos en dos. Despues de
estos, venian los infantes reales; eran diez, i avansavan,
saltando alegremente, mano en mano, adornados kon
korasones. Despues venian los musafires, kaje todos reyes i
reinas, i entre eyos, Alisia rekonosio al Taushan Blanko:
avlava apresurado i iniervozo, sonriendo de todo lo ke se
dezia, i paso serka de eya sin notarla. Despues, venia el Valet
de Korasones yevando la korona del Rey sovre un koshin de
seda karmezi; i al kavo de esta gran prosesion, venian EL
REY I LA REINA DE KORASONES.

Alisia estava duvdando si devia o no echarse sovre sus fases
komo los tres guertelanos, ama no arrekodrava aver oido
nunka ke fuera de menester azerlo en una prosesion; "i
ademas," penso, "ke provecho uviera en una prosesion si todo
el mundo tuviera ke echarse sovre sus fases, de modo ke no
pudieran ver nada?" Ansi ke se kedo aparada kieta onde
estava, i aspero.

Kuando la prosesion yego enfrente de Alisia, todos se
detuvieron i la miraron, i la Reina disho severamente: "Ken
es esta?" Lo disho al Valet de Korasones, ke solo se enkor-
vava i sonreia en repuesta.

"Idiota!" disho la Reina, meneando su kavesa kon
impasensia; i, aboltandose enverso Alisia, kontinuo: "Komo
te yamas, kriatura?"

"Me yamo Alisia, para servir a su Maestad," disho Alisia muy djentilmente; ma adjusto de si para si: "Bueno, despues de todo, no son mas ke un paketo de kartas. No tengo ke espantarme de eyos!"

"I ken son *estos*?" disho la Reina, apuntando a los tres guertelanos ke estavan echados al derredor del rozal; siendo, vees, komo estavan echados sovre sus fases, solo se les veia la parte de atras, ke era igual en todas las kartas del paketo, no podia saver si eran guertelanos, o soldados, o kortezanos, o tres de sus propios ijos.

"Komo vo a saverlo?" disho Alisia, sorprendida de su propio koraje. "No es echo *mio*!"

La Reina se izo karmezi de furia, i despues de mirarla un momento komo una bestia, grito: "Ke le korten la kavesa! Ke le kor—"

"Bavajadas!" disho Alisia, en boz muy alta i dechidida, i la Reina se akayo.

El Rey metio la mano sovre su braso, i disho kon timidez: "Konsidera, mi kerida, ke solo es una kriatura!"

La Reina le torno la espalda furioza, i disho al Valet: "Aboltalos!"

El Valet lo izo, kon muncho kudiadiko, kon un pie.

"Alevantadvos!" disho la Reina, vosiferando en alta boz, i los tres guertelanos saltaron pishin en pies, i empesaron a azer reverensias al Rey, a la Reina, a los infantes reales, al Valet i a todo el mundo.

"Ya basta kon esto!" grito la Reina. "Me dash sheshereo!" I luego, aboltandose enverso el rozal, kontinuo: "Ke estavash aziendo aki?"

"Kon vuestra permision, su Maestad," disho Dos, en tono muy umilde, kayendose sovre una rodiya mientres avlava, "estavamos tratando—"

"Ya lo veo!" disho la Reina, ke entremientes estuvo examinando las rozas. "Ke les korten la kavesa!" i la prosesion se metio de muevo en marcha, kedando tres soldados atras para exekutir a los desgrasiados guertelanos ke korrieron enverso Alisia a bushkar refujio.

"No vos kortaran la kavesa!" disho Alisia, i los metio en un gran saksí de flores ke avia ayi serka. Los tres soldados estuvieron dando bueltas por ayi un minuto o dos, bushkandolos, i luego se marcharon avagariko detras de los otros.

"Tienen pedrido sus kavesas?" grito la Reina.

"Si, sus kavesas se pedrieron, kon vuestra permision, su Maestad," gritaron los soldados en repuesta.

"Muy bien!" grito la Reina. "Saves djugar al kroket?"

Los soldados kedaron kayados, i miraron a Alisia porke era evidente ke la pregunta fue dirijida a eya.

"Si!" grito Alisia.

"Ven entonses!" vosifero la Reina, i Alisia se adjunto a la prosesion, maraviyandose muncho de lo ke iva a akonteser a kontinuasion.

"Aze—aze un dia muy esplendido!" murmureo a su lado una timida bozezika. Alisia estava andando al lado del Taushan Blanko, ke la mirava kon ansiedad.

"Muy," disho Alisia. "Onde esta la Dukeza?"

"Sh! Sh!" disho el Taushan en boz basha i akorrida. Mirava ansiozamente detras de su espalda mientres avlava, i despues se aparo sovre las puntas de sus pies, aserko su boka a la oreja de Alisia i shushureo: "Fue kondenada a muerte."

"Porke?" disho Alisia.

"Tienes dicho 'ke lastima!'?" pregunto el Taushan.

"No, no tengo dicho. No kreo ke sea una lastima. Tengo dicho: 'Porke?'"

"Le dio un punyo a la oreja de la Reina—" empeso el Taushan. Alisia se echo a riir. "Oh, kayate!" murmureo el Taushan kon terror. "Va a oirte la Reina! Ves, ayego bastante tadre, i la Reina disho—"

"Todos a sus sitios!" grito la Reina kon boz de trueno. Y todos se echaron a korrer en todas las direksiones, entrompesandosen unos kon otros. Andjak, unos minutos despues okupavan sus sitios, i empeso el djugo.

Alisia penso ke no avia visto un kampo de kroket tan estranyo en toda su vida; estava yeno de indrizes i de montonikos; las bolas eran erizos bivos, los palos eran flamenkos bivos, i los soldados tenian ke doblarsen i apoyarsen sovre manos i pies para formar los arkos.

La difikultad mas grave kon la ke Alisia se topo al prinsipio, fue de manejar su flamenko. Reusho dominar al puerpo, kon bastante komoditá, metiendoselo debasho del braso, kon las pachas kolgando detras, ama kaje siempre, kuando reushia estirarle el kueyo i estava a punto de darle un buen golpe al erizo kon la kavesa, este torsia el kueyo i la mirava direktamente a los ojos kon una ekspresion tan tilisimlí, ke Alisia no podia detener la riza: i kuando le avia aboltado la kavesa abasho i estava dispuesta a empesar de muevo, era muy irritante deskuvrir ke el erizo se avia desdevanado i se aleshava arrastandose: ademas de todo esto, siempre avia un montoniko o un indriz en la direksion en ke eya keria lansar al erizo, i komo los soldados doblados se estavan alevantando i pasando a otros puntos del kampo, Alisia ayego muy presto a la konkluzion de ke se tratava de un djugo realmente muy difisil.

Los djugadores djugavan todos al mizmo tiempo, sin asperar su torno, peleando dekontino por los erizos: i en poko tiempo, la Reina kaiya en una pasion furioza i andava de un lado a otro, dando patadas en el suelo, i gritando a kada minuto "Ke le korten a este la kavesa!" o "Ke le korten a esta la kavesa!"

Alisia empeso a sentirse inkomoda: en verdad, eya no tuvo dainda ninguna disputa kon la Reina, ma savia ke podia akonteser en kualseker minuto. "I entonses," pensava, "ke sera de mi? Aki les agradan terrivlemente kortar kavesas. Lo estranyo es ke dainda kede alguno bivo!"

Estava mirando al derredor, bushkando alguna manera de eskapar, i maraviyandose si podria irse de ayi sin ke la vieran, kuando persivio una estranya aparision en el aire: Al prinsipio kedo muy maraviada ma, despues de observarla unos minutos, deskuvrio ke se tratava de una sonriza, i se disho: "Es el Gato de Cheshire. Agora terne alguno kon ken podre avlar."

"Ke tal estas?" le disho el Gato, en kuanto tuvo sufisiente boka para poder avlar.

Alisia aspero asta ke aparesieron los ojos, i entonses le saludo kon un djesto. "De nada servira ke le avle," penso, "asta ke tenga orejas, o a lo menos una de eyas." Un minuto despues, avia aparesido toda la kavesa, i entonses Alisia desho en el suelo su flamenko i empeso a kontar lo ke okurio en el djugo, muy kontente de tener alguno ke la eskuchara. El Gato kreia ke su parte vizivle era ya sufisiente, i no aparesio nada mas.

"Me parese ke no djugan ni un poko derechero," empeso Alisia en tono de kesha, "i se pelean de un modo tan terrivle ke uno no puede oir ni a si mizmo—i no parese ke tienen ningunas reglas de djugo en partikular; a lo menos, si las tienen, ninguno no las ovedese—i no puedes imajinar ke konfuzo es ke todas las kozas esten bivas. Por enshemplo, ayi esta el arko por el ke yo tenia ke pasar la bola, djusto al otro lado del kampo—i devia aver echo kroket kon el erizo de la

Reina djusto agora, ma se fuyo kuando vido ke se aserkava el mio!" s

"Komo te gusta la Reina?" disho el Gato en boz basha.

"No me gusta nada," disho Alisia. "Es tan ekstremamente—" En este momento, Alisia apersivio ke la Reina estava djusto detras de eya, eskuchando, de modo ke sigio: "—dada a ganar, ke kaje no merese la pena terminar el djugo."

La Reina sonrio i paso adelantre.

"Kon *ken* estas avlando?" disho el Rey, aserkandose a Alisia i mirando la kavesa del Gato kon gran kuriozidad.

"Es un amigo mio—un Gato de Cheshire," disho Alisia. Permiteme ke te lo prezente."

"No me agrada su aspekto deltodo," disho el Rey: "andjak, puede bezar mi mano si kere."

"Prefiero no azerlo," anoto el Gato.

"No seas impertinente," disho el Rey, "i no me mires de esta manera!" Se aparo detras de Alisia mientres avlava.

"Un gato puede mirar al rey," disho Alisia. "Tengo meldado esto en un livro, ma no me akodro onde."

"Bueno, deve ser eliminado," disho el Rey kon determinasion, i yamo a la Reina ke pasava en este momento por ayi. "Mi kerida! Me gustaria ke eliminaras a este gato!"

La Reina tenia solo un modo de arreglar todas las difikultades, chikas o grandes. "Ke le korten la kavesa!" disho, sin mirar aun a su derredor.

"Yo mizmo traere el djellat," disho el Rey ansiozamente, i se echo a korrer.

Alisia penso ke seria mijor ke atornara a ver komo iva el djugo, kuando oyo la boz de la Reina gritando kon fervor. Ya la avia oido djuzgando a muerte tres de los djugadores por aver pedrido sus tornos, i no le agradava deltodo el aspekto ke estavan tomando las kozas, siendo el djugo estava en tal

konfuzion, ke nunka savia si era su torno o no. Ansi ke fue
en bushka de su erizo.

El erizo fue engajado en una pelea kon otro erizo, lo ke le
paresio a Alisia una ekselente okazion de golpear a uno
kontra el otro: la unika difikultad era ke su flamenko se avia
ido al otro lado de la guerta, onde Alisia podia verlo
dezmamparado, tratando de bolar enriva de un arvol.

Kuando achapo al flamenko i atorno kon el atras, la pelea
ya avia terminado, i no se veia a los erizos. "Ama esto no

importa muncho" penso Alisia, "ya ke todos los arkos se tienen marchado de este lado del kampo." Ansi ke lo enkasho debasho de su braso para ke no tornara a fuirse, i se fue a charlear un poko mas kon su amigo.

Kuando atorno al lado del Gato de Cheshire, kedo sorprendida de topar un buluk grande de djente reunida a su derredor. Avia ayi una diskusion entre el djellat, el Rey i la Reina, avlando los tres endjuntos, mientres los otros guadravan silensio i paresian sentirsen muy inkomodos.

Al momento ke Alisia aparesio, fue yamada por los tres para ke dechidiera la kestion, i repitieron delantre de eya sus argumentos, aunke komo todos avlavan endjuntos, topo muy difisil de entender exaktamente lo ke le dezian.

El argumento del djellat era ke es imposivle kortar una kavesa si no ay puerpo del ke kortarla; dezia ke nunka antes avia echo una koza semejante, i ke no iva a empesar a azerla a esta faza de *su* vida.

El argumento del Rey era ke todo lo ke tenia una kavesa podia ser dekapitado, i ke "tu deshes de dezir tonterias."

El argumento de la Reina era ke si la koza no se dechidia presto, en menos de nada, aria kortar la kavesa a todos los ke la arrodeavan. (Era esta ultima remarka la ke azia ke todos tuvieran un aspekto grave i asustado.)

Alisia no topo otra koza ke dezir mas ke: "El Gato es de la Dukeza: lo mijor sera ke le pregunten a eya."

"La Dukeza esta en la prizion," disho la Reina al djellat: "traela aki." I el djellat partio komo una flecha.

La kavesa del Gato empeso a despareser en el momento en ke el se fue, i kuando atorno kon la Dukeza, avia desparesido kompletamente, ansi ke el Rey i el djellat empesaron a korretear de un lado a otro en bushka del Gato, mientres el resto del grupo atornava al djugo de kroket.

KAPITULO IX

La Istoria de la Tartuga Falsa

"No saves kuanto me alegro de tornar a verte, mi vieja kerida!" disho la Dukeza, mientres introdusia su braso karinyozamente basho el braso de Alisia, i se la yevava a pasear kon eya.

Alisia se alegro de toparla de tan buen umor, i penso de si para si ke fuera solo la pimienta lo ke la azia tan furioza kuando se konosieron en la kozina.

"Kuando *yo* sea Dukeza," se disho (aunke sin demaziada esperansa), "no terne *ninguna* pimienta en mi kozina. La supa esta muy bien sin pimienta—puede ser ke es la pimienta lo ke aze a la djente biliozos" sigio, muy kontente de aver echo un muevo deskuvrimiento, "i el vinagre lo ke los aze agros—i la mansanía lo ke los aze amargos—i—i—la karamela i kozas semejantes lo ke azen ke los ninyos sean dulses. Me agradaria ke la djente lo supiera: entonses no serian tan apretadikos sovre esto, saves—"

Entretanto, kaje se avia olvidado de la Dukeza, i fue un poko alarmada kuando oyo su boz muy serka de su oido. "Estas pensando en algo, kerida, i esto aze ke te olvides de avlar. No puedo dezirte djusto agora ke es el moral de esto, ma en un momento me vo akodrar."

"Puede ser ke no ay uno," se atrivio a observar Alisia.

"Ta, ta, ta, kriatura!" disho la Dukeza. "Todo tiene un moral, si solo puedes toparlo." I se enkasho mas serka al lado de Alisia mientres avlava.

A Alisia no le gustava muncho tenerla tan serka: primero, porke la Dukeza era *muy* fea; i, segundo, porke tenia exaktamente la altura presiza para apoyar su menton en el ombro de Alisia, i era un menton agudo, de manera muy inkomoda. Andjak, no le agradava ser bruska, ansi ke somporto esto kuanto podia.

"El djugo va agora un poko mijor," disho para arrebivir un poko la konversasion.

"Ansi es," disho la Dukeza: "i el moral de esto es—'Oh, es el amor, es el amor el ke aze djirar el mundo'."

"Alguna persona disho," murmureo Alisia, "ke el mundo djiraria mijor si kada uno se okupara de sus propios echos."

"Ah, bueno! Sinyifika kaje lo mizmo," disho la Dukeza, enkashando su agudo mentoniko en el ombro de Alisia i en adjustando: "I el moral de *esto* es—'Kudia el sentido, i los sonidos se kudian por si'."

"Komo le agrada topar morales en todo!" penso Alisia.

"Me atrivo a dezir ke te estas maraviyando deke no arrodeo tu sintura kon mi braso," disho la Dukeza despues de una pauza. "La razon es ke tengo duvda sovre el karakter de tu flamenko. Keres ke agamos un eksperimento?"

"Puede modrerte," arrespondio envaniko Alisia, ke no tenia ninguna gana de azer este eksperimento.

"Es verdad," disho la Dukeza, "los flamenkos i la mustarda modren. I el moral de esto es: 'Aves del mizmo plumaje modren lo mizmo kaje'."

"Solo ke la mustarda no es una ave," observo Alisia.

"Tienes razon komo siempre," disho la Dukeza. "Kon ke klaredad prezentas las kozas!"

"Es un mineral, *kreo*," disho Alisia.

"Vaday ke lo es," disho la Dukeza, ke paresia dispuesta a achetar todo lo ke dezia Alisia: "Ay una gran mina de mustarda serka de aki. I el moral de esto es—'si ay aki una mina, va eksplozar aina!'"

"Ah, ya se!" se esklamo Alisia, ke no avia metido tino a esta ultima observasion. "Es un vejetal. No tiene aspekto de serlo, ma lo es."

"Esto de akordo kon ti," disho la Dukeza; "i el moral de esto es—'Se lo ke te agradaria pareser'—o, si keres ke lo diga de un modo mas simple: 'Nunka imajines ser diferente de lo ke a los otros pudieras pareser ni podrias pareser a los otros lo ke no sos o no ser lo ke pareses a los otros'."

"Me parese ke esto lo entenderia mijor," disho Alisia muy amavlemente, "si lo viera eskrito; ama komo tu lo dizes, no puedo segirlo."

"Esto no es nada komparado kon lo ke yo podia dezir si lo keria!" arrespondio la Dukeza kon un tono de satisfaksion.

"Por favor, no te deranjes a dezirlo de manera mas larga!" disho Alisia.

"Oh, no avles de deranjamiento!" disho la Dukeza. "Te regalo todas las kozas ke tengo dicho asta este momento."

"Un modo muy barato de regalo!" penso Alisia. "Me alegro ke no dan regalos de este modo para el dia de nasimiento!" Ma no se atrivio a dezirlo en boz alta.

"Pensando otra vez?" pregunto la Dukeza, enkashando un poko mas su agudo mentoniko.

"Tengo derecho a pensar," disho Alisia kon agudez, porke empesava a sentirse un poko inkieta.

"Exaktamente el mizmo derecho," disho la Dukeza "ke el ke tienen los puerkos a bolar, i el m—"

Ma aki, a la gran sorpreza de Alisia, la boz de la Dukeza se abatio en medio de su palavra favorita 'moral', i el braso, entrelasado al suyo, empeso a temblar. Alisia alevanto la mirada, i vido ke la Reina estava delantre de eyas, kon los brasos kruzados i una birra tempestuoza.

"Ermozo dia, Maestad!" empeso la Dukeza en boz basha i flaka.

"Agora te do una klara advertensia," grito la Reina, dando una patada en el suelo mientres avlava, "o tu. o tu kavesa, tenesh ke despareser, i en menos ke nada de tiempo! Elije!"

La Dukeza elijio, i desparesio pishin.

"I agora tornemos al djugo," le disho la Reina a Alisia; i Alisia estava demaziado asustada para dezir palavra, ama la sigio vagarozamente al kampo de kroket.

Los otros musafires avian aprovechado la absensia de la Reina, i avian deskansado a la solombra; ama, en el momento ke la vieron, se apresuraron a tornar al djugo, mientres la Reina solo anoto ke un segundo de tadransa les kostaria la vida.

Todo el tiempo ke estuvieron djugando, la Reina no desho de pelearse kon los otros djugadores, ni de gritar "Ke le korten a este la kavesa!" o "Ke le korten a esta la kavesa!" Akeyos, los ke kondenava, eran metidos basho la vijilansia de soldados, ke naturalmente tenian ke deshar de azersen de arkos, de modo ke al kavo de una media ora no kedo ni un solo arko, i todos los djugadores, salvo el Rey, la Reina i Alisia, fueron arrestados i basho sentensia de muerte.

Entonses la Reina abandono el djugo, kaje sin suluk, i disho a Alisia: "Tienes visto a la Falsa Tartuga?"

"No," disho Alisia. "Ni se afilú ke es una Falsa Tartuga."

"Es kon lo ke azen la Supa de Falsa Tartuga," disho la Reina.

"Nunka tengo visto ninguna, ni tengo oido de eya," disho Alisia.

"Ayde, entonses," disho la Reina, "i la Falsa Tartuga te kontara su istoria."

Mientres se aleshavan endjuntos, Alisia oyo ke el Rey dezia en boz basha a todo el grupo: "Estash todos perdonados."

"Ven, *esta* es una koza buena!" se disho Alisia, ke se sentia desdichada por el numero de exekusiones ke la Reina avia odrenado.

Muy presto ayegaron alado de un Grifon ke yazia profundamente dormido al sol. (Si no savesh lo ke es un grifon, mirad el dezenyo.) "Alevantate, haragan!" disho la Reina, "i akompanya a esta senyorita a ver a la Falsa Tartuga i a ke oiga su istoria. Yo tengo ke atornar para beklear a unas kuantas exekusiones ke tengo odrenado," i se alesho de ayi, deshando Alisia sola kon el Grifon. A Alisia no le agradava muncho el aspekto de akel bicho, ma penso ke, a fin de todo, puede ser, era mas seguro kedarse kon el ke seguir a akeya feroche Reina: Ansi ke aspero.

El Grifon se asento i se frego los ojos; despues estuvo mirando a la Reina asta ke se pedrio de vista; entonses sonrio. "Ke kief!" disho el Grifon, medio de si para si, medio a Alisia.

"Ke *es* el kief?" disho Alisia.

"Es *eya*," disho el Grifon. "Todo es fantazia suya: Nunka exekutan a ninguno, saves. Ayde!"

"Kada uno dize 'ayde' aki," penso Alisia, mientres lo segia davagariko. "No avia resivido tantas ordenes en toda mi vida, nunka!"

No avian andado muncho kuando vieron a la Falsa Tartuga a lo leshos, asentada triste i solitaria sovre una eskalera de penya i, al aserkarse, Alisia pudo oir ke sospirava komo si su korason iva a romperse. Se adjideo muncho por eya. "Kuala es su angustia?" pregunto al Grifon, i el Grifon arrespondio, kaje kon las mizmas palavras de antes: "Todo es fantazia suya. No tiene ninguna angustia, saves. Ayde!"

Ansi ke asuvieron ande la Falsa Tartuga, ke los miro kon sus grandes ojos yenos de lagrimas, ma no disho nada.

"Aki, esta senyorita," disho el Grifon "kere konoser tu istoria, eya kere."

"Vo a kontarsela," disho la Falsa Tartuga en un tono profundo i gueko: "Asentadvos los dos, i no digash ni una palavra asta ke termine."

Entonses se asentaron, i ninguno avlo durante unos minutos. Alisia penso de si para si: "No se komo va poder *may* terminar su istoria, si no va empesarla." Ama aspero kon pasensia.

"Una vez," disho enfin la Falsa Tartuga, kon un profundo sospiro, "yo era una tartuga de verdad."

Estas palavras fueron segidas por un silensio muy largo, interrompido solo por esklamasiones eventuales de "Hjckrrh!" del Grifon i el konstante karpidero de la Falsa Tartuga. Alisia estava a punto de alevantarse i de dezir: "Munchas grasias, senyora, por tu interesante istoria," ama no podia deshar de pensar ke *devia* de seguir algo mas, ansi ke se kedo asentada i no disho nada.

"Kuando eramos muy chikos," kontinuo enfin la Falsa Tartuga, mas kalma agora, ma ainda karpiendo de vez en kuando, "ivamos a la eshkola de la mar. La maestra era una vieja Tartuga—a la ke yamavamos Tartamuda—"

"Porke la yamavan Tartamuda, si era una Tartuga?" pregunto Alisia.

"La yamavamos Tartamuda porke siempre tartamudeava en dando sus lisiones," disho la Falsa Tartuga enfuresida: "Realmente sos muy tonta!"

"Tendrias ke averguesarte de ti mizma por preguntar kozas tan evidentes," adjusto el Grifon; i los dos permanesieron asentados en silensio, mirando a la povre Alisia, ke sintia dezeos de ke se la tragara la tierra. Enfin el Grifon disho a la Falsa Tartuga: "Sigue kon tu istoria, vieja amiga! No lo dehiyes por el dia entero!" i eya sigio kon estas palavras:—

"Si, ivamos a la eshkola de la mar, aunke tu no lo kreas—"

"Yo nunka dishe ke no lo kreia!" la interrompio Alisia.

"Si, lo izites," disho la Falsa Tartuga.

"Kayate esta boka!" adjusto el Grifon, antes de ke Alisia pudiera tornar a avlar. La Falsa Tartuga kontinuo.

"Resiviamos la mijor edukasion—en realidad, ivamos a la eshkola todos los dias—"

"Yo *tambien* tengo ido a una eshkola de dia," disho Alisia; No tienes ke sentirte tan orgolioza."

"Kon ekstras?" pregunto la Falsa Tartuga kon sierta ansiedad.

"Si," disho Alisia, "ambezimos fransez i muzika."

"I lavado?" disho la Falsa Tartuga.

"Vaday ke no!" disho Alisia indinyada.

"Ah! Entonses la tuya no era una buena eshkola," disho la Falsa Tartuga en tono de gran alivianadura. En *muestra* eshkola, yuchbelá, avia 'fransez, muzika *i lavado*—ekstra'."

"No avia en esto gran provecho para vozos," disho Alisia "biviendo en el fondo de la mar."

"Yo no tuve okazion de estudiarlo," disho la Falsa Tartuga kon un sospiro. "Tomava solo el kurso regolar."

"I kual era esto?" pregunto Alisia.

"Meldahonear i Deskrivir, para empesar," arrespondio la Falsa Tartuga; "i despues, las diversas materias de la Aritmetika—Sumarino, Subterreno, Multi-komplikar i Friksionar."

"Nunka oyi de 'Multi-komplikar'," se atrivio Alisia a dezir. "Ke sinyifika?"

El Grifon alevanto sus pachas, muy asombrado: "Komo! Nunka oites de multi-komplikar?" se esklamo. "A lo menos saves lo ke sinyifika multikolorear."

"Bueno—esto si," disho Alisia indesiza, "kere dezir azer algo de munchas kolores."

"Bueno, entonses," kontinuo el Grifon, "si no saves agora lo ke kere dezir Multi-komplikar, es ke *sos* un golem."

Alisia no sentia tener mas el koraje de demandar mas sovre esto, entonses torno i disho a la Falsa Tartuga: "Ke otras kozas estudiavas ayi?"

"Bueno, estudyimos Isteria," arrespondio la Falsa Tartuga "—Isteria antigua i moderna, kon Mareografia, i Dizanterio. La profesora era una anguila ke venia a darmos lisiones una vez por semana i ke mos ambezo Dizanterio, i otras kozas, komo Boykotear el Tinton."

"I esto ke es?" disho Alisia.

"Bueno, no puedo azerte una demostrasion," disho la Falsa Tartuga: "Esto muy kargada. I el Grifon, nunka ambezo a boykotear el tinton."

"Nunka tuve tiempo," disho el Grifon: "Iva a las lisiones klasikas. Muestro maestro era un viejo kangrejo, el era."

"Nunka fui a sus lisiones," disho la Falsa Tartuga sospirando: "dizen ke ambezava Patín i Rego."

"Si, esto es lo ke azia," disho el Grifon, sospirando a su torno; i los dos se taparon la kavesa kon sus pachas.

"I kuantas oras al dia turavan las lisiones en estos korsos?" disho Alisia apresurandose a trokar de tema.

"Diez oras al primer dia," disho la Falsa Tartuga: "mueve al segundo dia, i ansi suksesivamente."

"Ke plan tan kuriozo!" se esklamo Alisia.

"Por esto se yaman korsos," anoto el grifon: "porke se akortan de dia en dia."

Esto era una mueva idea para Alisia i la izo repensarla un poko antes de azer su mueva remarka. "Entonses, el dia onze, seria fiesta?

"Vaday ke si," disho la Falsa Tartuga.

"I ke azian al dia dodje?" kontinuo Alisia kon ardor.

"Ya abasta de korsos i lisiones," interrompio el Grifon en un tono dechidido: "kontale algo sovre los djugos agora."

El Kadril del Kangrejo

La Falsa Tartuga sospiro profundamente i travo la parte de atras de una aleta sovre los ojos. Miro a Alisia i trato de avlar, ma por un minuto o dos, el kapidero le abafava la boz. "Es komo si se enkasho un gueso en su garón," disho el Grifon i se echo a sakudirla i a darle golpes en la espalda. Enfin, la Tartuga se rekupero i se le torno la boz, i, kon las lagrimas arresvalando por su kara, kontinuo de muevo:—

"Tu, puede ser, no tienes bivido muncho en el fondo de la mar—" ("No, no tengo," disho Alisia) "—i puede ser tambien ke nunka fuites introdusida a un kangrejo—" (Alisia empeso a dezir: "Una vez komi—" ama se detuvo pishin, i disho: "No, nunka") "—entonses, no puedes tener idea kuanto agradavle es el Kadril del Kangrejo!"

"No, en verdad," disho Alisia. "Ke manera de baile es este?"

"Komo?" disho el Grifon. "Primero formas una linia a lo largo de la playa—"

"Dos linias!" grito la Falsa Tartuga. "Fokas, tartugas, salmon, etsetera; entonses, kuando se tienen kitado todas las meduzas de en medio—"

"Koza ke en jeneral tura algun tiempo," interrompio el Grifon.

"—avansas dos pasos—"

"Kada uno kon un kangrejo komo haveriko!" grito el Grifon.

"Vaday ke," disho la Falsa Tartuga: "avansas dos pasos, kon tu haveriko—"

"—trokas de kangrejo, i te retiras en el mizmo orden," kontinuo el Grifon.

"Entonses, saves," sigio la Falsa Tartuga, "arrojas los—"

"Los kangrejos!" esklamo el Grifon, dando un salto en el aire.

"—a la mar, lo mas leshos ke puedas—"

"Nadas detras de eyos!" chiyo el Grifon.

"Azes un salto en la mar!" grito la Falsa Tartuga, saltando salvajemente.

"Trokas otra vez de kangrejo!" grito el Grifon en la parte superior de su boz.

"Para tornar otra vez a tierra—i esta es la primera figura," disho la Falsa Tartuga, abashando enduna su boz; i las dos kriaduras, ke avian dado saltos komo lokos durante todo este tiempo, se asentaron otra vez muy tristes i silensiozos, i miraron a Alisia.

"Deve ser un baile muy ermozo," disho Alisia kon timidez.

"Te agradaria ver un poko de eyo?" disho la Falsa Tartuga.

"Muy muncho, en verdad," disho Alisia.

"Ven, trataremos de azer la primera figura!" disho la Falsa Tartuga al Grifon. "Podemos azerlo sin kangrejos, saves. Ken va a kantar?

"Oh, kantaras *tu*," disho el Grifon. "Yo tengo olvidado las palavras."

Entonses empesaron solenemente a bailar alderredor de Alisia, de vez en kuando, pizandole los pies kuando pasavan demaziado serka, moviendo sus pachas en el aire para markar el tempo, mientres la Falsa Tartuga kantava esto muy davagar i kon amargura:—

> *Anda tu mas adjilé, disho'l peshe al karakol*
> *Un delfin piza mi koda detras, nadando en un sirkol*
> *Los kangrejos, las tartugas, ey avansan kon pasion*
> *I asperan n'la oriya; adjuntate a l'asosiasion!*
>   *Ven i baila, ven i baila, echate ya a bailar!*
>   *Baila, vente, baila, vente, i empesa a bailar!*

"'Majinar no puedes, fijo, kuanto te vas alegrar
Kuando t'echen kon kangrejos, leshos leshos a la mar!"
Ma el karakol le disho: "Para mi este leshor
Es bastante abuzivo, estare aki, mijor."
*   No kero bailar, no kero, deshame arrepozar*
*   No kero bailar, no kero, deshame arrepozar*

"Ke importa ande vamos?" anel le disho su haver,
"Otra oriya ay, ya saves, en otro lado, vas a ver;
Si t'aleshes d'Inglatera, la Evropa va aserkar
No demudate, karinyo, ven i metate a bailar."
*   Ven i baila, ven i baila, echate ya a bailar!*
*   Baila, vente, baila, vente, i empesa a bailar!*

"Mersi muncho, es un baile muy interesante de ver," disho Alisia, sintiendose kontente ke el baile ya se avia akavado: "I me agrado tambien muncho esta kantiga kurioza del peshe!"

"Oh, en lo ke toka al peshe, es el bakalo," disho la Falsa Tartuga, "son—ya tienes visto alguno, supozo."

"Si," disho Alisia, "los tengo visto frekuentemente en la sen—" i se detuvo pishin.

"No se onde se topa este luguar Sen," disho la Falsa Tartuga, "ama si los tienes visto tan frekuentemente, savras naturalmente komo son."

"Kreo ke si," arrespondio Alisia pensativa. "Tienen la koda en la boka—i estan kuviertos de migas de pan."

"Estas yerrada en lo ke toka a las migas del pan," disho la Falsa Tartuga: "En la mar las migas del pan se enchorrearian i despareserian presto. Ama es verdad ke tienen la koda en la boka, i la razon es—" aki la Falsa Tartuga bostejo i serro los ojos. "Kontale tu la razon de todo esto," disho al Grifon.

"La razon es," disho el Grifon "ke keren ir kon los kangrejos al baile. Ansi es ke estan arrojados a la mar. Ansi ke tienen ke ir a kaer lo mas leshos posivle. Ansi ke yevan apretadas las kodas en sus bokas. Ansi ke no pueden despues tornar a kitarlas afuera. Esto es todo."

"Mersi," disho Alisia, "es muy interesante. Nunka supi antes tan muncho sovre el bakalo."

"Puedo kontarte mas ke esto, si te agrada," disho el Grifon. "Saves porke se yama bakalo?

"No," disho Alisia, "porke?"

"Es porke se topa ande el bakal!" disho el Grifon. "Ay ken lo yama blankalo, saves porke?"

"Nunka no pensi en esto," disho Alisia. "Porke?"

"*Porke sirve para blankear los botes* i siempre le gritan: 'Blankalo! Kere dezir: blankealo al bote'," arrespondio el Grifon solenemente.

Alisia estava muy konfuza. "Blankear los botes!" repitio en un tono maraviyado.

"Komo? No blankeas nunka tus botes?" Disho el Grifon. "Kero dizir, komo les azes briyar?"

Alisia miro abasho i konsidero la kestion un poko antes ke dar la repuesta: "Son pretos, i se uza a empreteserlos, kreo."

"Debasho la mar," kontinuo el Grifon en una boz profunda "los botes son blankos i se blankean kon el bakalo. Agora ya lo saves."

"I de ke estan echos?" pregunto Alisia kon un tono de gran kuriozidad.

"Desierto, de lenguadas i anguilas," arrespondio el Grifon, kon impasensia: "kada kangrejiko te lo kontaria."

"Si yo era el bakalo," disho Alisia, ke estava pensando ainda en la kantiga, "le avria dicho al delfin: 'Kedate atras por favor, no te keremos kon mozotros!'"

"Eran ovligados de tenerlo kon eyos," disho la Falsa Tartuga. "Dingun peshe meoyudo no puede fuirse de—de-la-fin."

"De verdad es ansi?" disho Alisia en un tono de gran sorpreza.

"Vaday ke!" disho la Falsa Tartuga. "Komo? Si viene un peshe a *mi* i me konta ke va ir a un viaje, le pregunto yo: "I kon ke delfin?""

"Keres dezir 'kon ke fin?'" disho Alisia.

"Kero dezir lo ke digo," arrespondio la Falsa Tartuga en un tono ofendido. I el Grifon adjusto: "Ven, kontamos algo de *tus* aventuras."

"Puedo kontarvos mis aventuras—desde esta manyana," disho Alisia un poko timida: "ama no serviria de nada atornar a ayer, porke ayer yo era una persona diferente."

"Esplika todo esto," disho la Falsa Tartuga.

"No, no! Las aventuras primero," disho el Grifon en un tono impasiente: "las esplikasiones turan un periodo tan orrivle."

Ansi ke Alisia empeso a kontarles sus aventuras desdel momento en ke vido por la primera vez al Taushan Blanko. Al prinsipio estava un poko iniervoza, porke las dos kriaduras se aserkaron demaziado de eya, una a kada lado, i avrian *muncho* sus ojos i bokas, ama, en avansando kon su kuento, kovro koraje. Sus oyentes estuvieron perfektamente kayados asta ke ayego al momento en ke resito al Guzano 'Viejo sos, padre William' i todas las palavras le salieron muy diferentes, entonses la Falsa Tartuga tomo un suluk profundo i disho: "Esto es muy kuriozo!"

"Es tan kuriozo komo puede ser," disho el Grifon.

"Todo le salio diferente!" repitio la Falsa Tartuga pensativa. "Me agradaria oirla tratando de resitar otra koza agora. Dile de empesar." Miro al Grifon komo si tenia una autoridad sovre Alisia.

"Alevantate en pies i resita '*Es la boz del haragán*'," disho el Grifon.

"Kuantas ordenes dan estas kriaduras, i azen a uno repetir lisiones!" penso Alisia; "Komo si atornaria enduna a la eshkola." Andjak, se alevanto i empeso a repetirlo, ama su kavesa era tan yena del Kadril del Kangrejo ke apenas supo lo ke dezia, i las palavras salieron muy dezmodradas en verdad:—

"Es la boz de el Kangrejo, lo oyi yo deklarar:
'Me tostates demaziado, ken a mi va asukar?'
Komo pato kon sus párparos, tambien el kon su nariz
Kon botones se adorna en vistiendo su chemiz
Si es seka la arena se alegra kom' un kavron
Sin verguensa menospresia i repudia'l Tiburon
Ama kuando l'arrodean tiburones al derredor
La su boz se le aflaka i se yena de temblor."

"Es muy diferente de lo ke uzava yo oir kuando era ninyo," disho El Grifon.

"Bueno, yo nunka lo tengo oido antes," disho la Falsa Tartuga; "ma me sona komo bavajadas en trushi."

Alisia no disho nada. Se avia asentado kon la kara kuvierta kon sus manos, maraviyandose si algo va tornar a kaminar un dia de manera natural.

"Me agradaria oir esplikasion a esto," disho la Falsa Tartuga.

"Eya no puede esplikarlo," disho el Grifon muy apresurado. "Kontinua kon el verso siguente."

"Ama komo aze kon su nariz?" persistio la Falsa Tartuga. "Komo *puede* menear su nariz, saves?"

"Es la primera pozision del baile," disho Alisia; ma eya mizma se maraviyo muncho de la koza entera, i dezeo trokar de tema.

"Kontinua kon el verso siguente," repitio el Grifon despasensiado: "empesa kon: '*Yo pasi por su bostán*'."

Alisia no se atrivio a dezovedeser, aunke konsintio ke por seguro todo va salir yerrado, i kontinuo en boz tremblando:—

> "*Yo pasi por su bostán, me konto kon grande forta:*
> *Kukuvaya i Pantera repartieron una torta*
> *La Pantera ya tomo todo'l gomo i la krema*
> *La Kukuvaya resivio el chiní i poka flema;*
> *Kuando s'akavo la torta, la Kukuvaya tan hashvesh*
> *Resivio la kucharika kom' regalo i peshkesh,*
> *La pantera kon kuchiyo i piron, i kon alguaya*
> *Termino ey el banketo en——*"

"Ke provecho *ay* en repetir toda esta materia," l'interrompio la Falsa Tartuga, "si no l'esplikas en avansando? Esta es, sin duda, la koza mas embroliada ke tengo oido en toda mi vida!"

"Si, kreo ke lo mijor sera ke lo deshes," disho el Grifon: i Alisia se alegro muncho a azerlo.

Keres ke aprovemos otra figura del Kadril del Kangrejo?" sigio el Grifon. "O te gustaria ke la Falsa Tartuga te kantara una kantiga?"

"Oh, una kantiga, por favor, si la Falsa Tartuga sera tan amavle!" arrespondio Alisia, kon tanto fervor, ke el Grifon disho en un tono bastante ofendido, "Hmm, Kada uno kon la savor de su paladar! Kantale *'La Supa de Tartuga'*. Lo aras, vieja amiga?"

La Falsa Tartuga dio un profundo sospiro i empeso a kantar kon una boz aogada por el karpidero:—

> *"Ermoza Supa, tan vedre i tan rika,*
> *En la supiera mos aspera agorika.*
> *Oh, tan delisioza Supa*
> *Venid todos 'n una grupa,*
> *A senar de esta Supa*
> > *Ah! Ke delisioo—ooza Suu—uupa!*
> > *Ah! Ke delisioo—ooza Suu—uupa!*
> *Ke ermoo—ooza Suu—uupa!*
> > *Muy ermoo—ooza Suu—uupa!*

> *"Kon la Supa, ken mas keria*
> *Peshkadiko o pastichería,*
> *I por eya no daria*
> *Grosh o una medjidiya?*
> > *Ah! Ke delisioo—ooza Suu—uupa!*
> > *Ah! Ke delisioo—ooza Suu—uupa!*
> *Ke ermoo—ooza Suu—uupa!*
> > *Muy ermoza SUPA!"*

"El koro otra vez!" grito el Grifon, i la Falsa Tartuga empesava a repetirlo, kuando un chiyo de "El djuisio empesa!" se oyo de leshos.

"Ayde!" grito el Grifon, i, tomando a Alisia de la mano, echo a korrer, sin asperar a la fin de la kantiga.

"Ke djuisio es este?" demando Alisia kongosheandose mientres korria; ma el Grifon solo arrespondio: "Ayde!" i korrio mas de prisa, mientres, kada vez mas flakas, yevadas por la briza ke les segia, les ayegavan las melankolikas palavras:—

"Ke ermoo—ooza Suu—uupa!
Muy ermoza Supa!"

Ken Arrovo las Tortas?

*E*l Rey i la Reina de Korasones estavan asentados en sus tronos, kuando eyos arrivaron, kon una gran muchidumbre arrekojida a sus derredor—todas maneras de pasharikos i animales, ansi komo el paketo entero de las kartas. El Valet estava aparado delantre de eyos, enkadenado, kon un soldado a kada lado para sorveliarlo; i al lado del Rey estava el Taushan Blanko, kon una trompeta en una mano i una megilá de pergamino en la otra. Djusto en medio de la korte, avia una meza kon un gran chiní de tortas ensima de eya: tenian tan buen aspekto, ke a Alisia le venia la gana solo al verlas—"Makare, van a terminar presto el djuisio," penso, "i repartiran los refreskos!" Ama no paresia aver munchas shanses a esto, i Alisia empeso a mirar lo ke okuria a su derredor para pasar el tiempo.

Alisia no avia estado nunka en una korte de djustisia, ma avia meldado algo sovre eya en los livros, i se sintio muy satisfecha al ver ke savia el nombre de kaje todo lo ke avia ayi. "Akel es el djuez," se disho a si mizma, "por modre de su gran peruka."

El djuez, apropó, era el Rey; i komo yevava su korona ensima de la peruka, (mirad el dizenyo en la portada, si keresh saver komo lo azia), no paresia sentirse muy komodo, i por seguro no iva a poder serlo.

"I akeya es la kasha-de-los-djurados," penso Alisia, i estas dodje kriaduras," (era ovligada a dezir 'kriaduras', savesh, porke algunos eran animales i otros eran pasharos), "supozo ke son los djurados." Repitio esta ultima palavra dos o tres vezes de si para si, sintiendose orgolioza de eyo: siendo pensava, i kon razon, ke muy pokas ninyas de su edad konoserian su sinyifikado.

Los dodje djurados estavan eskriviendo kon muncha presipitasion sovre unas eskrivanikas. "Ke estan aziendo?" le shushureo Alisia al Grifon. "No pueden tener nada de anotar dainda, antes ke empeso el djuisio."

"Estan anotando sus nombres," shushureo el Grifon en repuesta, "por el espanto de olvidarlos antes de akavar el djuisio."

"Ke aznedad!" empeso Alisia a dezir en boz alta i indinyada, ama se detuvo pishín al oir ke el Taushan Blanko gritava: "Silensio en la korte!" i al ver ke el Rey se metio los entojos i mirava ansiozamente a su derredor para ver ken era el ke avia avlado.

Alisia pudo ver, tan bien komo si estuviera mirando por ensima de sus ombros, ke todos los djurados estavan eskriviendo "Ke aznedad!" en sus eskrivanikas, i aun pudo darse kuenta de ke uno de eyos no savia komo deletrar "aznedad" i tuvo ke preguntarselo a su vezino. "Ermoza embarasatina se va azer en sus eskrivanikas antes de ke el djuisio termine!" penso Alisia.

Uno de los djurados tenia un lapiz ke eskrushia. Desierto, esto Alisia no lo podia somportar, ansi ke dio buelta a la korte, i s'aparo a su espalda, i muy presto topo la oportunidad de arrevatarle el lapiz. Lo izo tan pishín ke el povereliko djurado (era Bill, el Lagarto) no se dio kuenta del todo de lo ke avia echo kon su lapiz; i ansi, despues de bushkarlo por todas partes, fue ovligado a eskrivir kon un dedo el resto del dia; i esto era de muy poko provecho, siendo no deshava dinguna marka sovre la eskrivanika.

"Pregonero, melda la akuzasion!" disho el Rey.

Entonses el Taushan Blanko tanyo tres vezes kon su trompeta, i derulo la megilá del pergamino, i meldo lo siguente:—

"*La Reina de los korasones izo tortas de diez fasones*
    Un dia 'rmozo del enverano,
El Valet de los korasones rovo las tortas de diez fasones
    Demanyana muy demprano.

"Deliberad vuestro veredikto," disho el Rey a los djurados.

"Dainda no, dainda no!" le interrompio apresuradamente el Taushan Blanko. "Ay munchas otras kozas antes de esto!"

"Yama al primer testigo," disho el Rey; i el Taushan Blanko tanyo tres vezes kon su trompeta i grito: "Primer testigo!"

El primer testigo era el Bonetero. Entro kon una tasa de te en una mano i un pedaso de pan kon manteka en la otra. "Te rogo me perdones, Maestad," empeso, "por traer estos aki, ama no avia terminado mi te, kuando fui yamado."

"Devias aver terminado," disho el Rey. "Kuando empesates?"

El Bonetero miro al Lievre de Marso, ke le avia segido a la korte, braso-en-braso kon la Marmitá. "Fue el katorze de marso, me parese," disho.

"El kinze," disho el Lievre de Marso.

"El dizisesh," disho la Marmitá.

"Eskrivid esto," disho el Rey a los djurados, i los djurados apasionadamente eskrivieron las tres datas en sus eskrivanikas, i despues las sumaron i redusieron el rezultado a shilings i penis.

"Kitate tu chapeo," disho el Rey al Bonetero.

"No es mio," disho el Bonetero.

"*Arrovado!*" esklamo el Rey, tornandose enverso los djurados, ke imediatamente tomaron nota del echo.

"Los tengo para vender," adjusto el Bonetero komo esplikasion. "Ninguno es mio. So bonetero."

Aki la Reina se metio los entojos, i empeso a examinar al Bonetero ke se izo palido i se echo a temblar.

"Da tu testimonio," disho el Rey; "i no te agas iniervozo, o te ago exekutir aki mizmo."

Esto no paresio animar al testigo del todo: empeso a pararse sovre un pie i sovre el otro, mirando inkieto a la Reina, i en su konfuzion modrio un gran pedaso de la tasa de te en luguar del pan-kon-manteka.

Djusto en este momento, Alisia konsintio una sensasion muy kurioza, ke la enkanto muy muncho asta ke komprendio lo ke era: estava empesando a kreser otra vez, i penso, al prinsipio, ke devia alevantarse i salir de la korte; ama en repensandolo dechidio kedarse onde estava mientres uviera bastante luguar para eya.

"Te rogo, no me empushes tanto," disho la Marmitá, ke estava asentada a su lado. "Apenas puedo respirar."

"No puedo evitarlo," disho Alisia muy umildemente: "Esto kresiendo."

"No tienes ningun derecho a kreser *aki*," disho la Marmitá.

"No avles bavajadas," disho Alisia kon mas brio. "Saves ke tambien tu kreses."

"Si, ama yo kresko a un ritmo razonavle," disho la Marmitá, "i no de esta manera ridikula." I se alevanto engreshada i traverso la korte para irse al otro lado.

Durante todo este tiempo, la Reina no avia deshado de mirar al Bonetero, i djusto en el momento en ke la Marmitá traversava la korte, disho a uno de los fonksionarios de la korte: "Traeme la lista de los kantadores del ultimo konserto!" ke al oirlo el povre Bonetero temblava tanto ke las kundurias se le salieron de los pies.

"Da tu testimonio," repitio el Rey, muy arraviado, "o, iniervozo o no, te ago exekutir agora mizmo."

"So un povre ombre, Maestad," empeso el Bonetero, en boz temblante, "—i apenas avia empesado a tomar mi te— aze mas o menos una semana—i en lo ke toka a las revanadas de pan kon manteka, se azian tantas delgadas—i el titereo del te—"

"El titereo de *ke?*" disho el Rey.

"El titereo *empeso* kon el te," arrespondio el Bonetero.

"Desierto ke titereo *empesa* kon 'T'!" disho el Rey kon agudez. "Me tomas por un azno? Kontinua!"

"So un povre ombre," sigio el Bonetero, "i lo mas de las kozas titirean despues de eyo—ama el Lievre de Marso disho—"

"Yo no dishe nada!" se apresuro a interromperle el Lievre de Marso.

"Lo dishites!" disho el Bonetero.

"Lo niego!" disho el Lievre de Marso.

"El lo niega," disho el Rey: "Deshad afuera esta parte."

"Bueno, en todo kavzo, la Marmitá disho—" kontinuo el Bonetero, i miro ansiozo a su derredor, para ver si la Marmitá tambien lo niegava: ama la Marmitá no niego nada, porke estava profundamente dormida.

"Despues de esto," kontinuo el Bonetero "korti un poko mas de pan kon manteka—"

"Ama ke disho la Marmitá?" pregunto uno de los djurados.

"De esto no me puedo akodrar," disho el Bonetero.

"*Deves* akodrarte," noto el Rey, "o te ago exekutir."

El mizeravle Bonetero desho kaer la tasa de te i el pan kon manteka, i se arrodiyo: "So un povre ombre, Maestad," empeso.

"I muncho *mas* povre *orador*," disho el Rey.

Aki uno de los konejikos de indias empeso a aklamar, i fue imediatamente reprimido por los fonksionarios de la korte (Komo esta es una palavra demaziado difisil, vo a esplikar komo fue echa la koza: Los fonksionarios tenian un gran sako de kanavatsa, ke su boka se serrava kon una kuedra: adientro de este sako metieron al konejiko de indias, la kavesa por adelantre, i despues se asentaron ensima.)

"Me alegro de aver visto komo se aze esto," penso Alisia. "Tengo meldado frekuentemente en los periodikos ke, al kavo de un djuisio, 'Uvieron unas prevas de aklamasiones, ke fueron imediatamente reprimidas por los fonksionarios de la korte,' i nunka komprendi asta agora lo ke kerian dezir."

"Si esto es todo lo ke saves, ya puedes abashar de la estrada," kontinuo el Rey.

"No puedo abashar mas abasho," disho el Bonetero "ya esto en el suelo, el mizmo."

"Entonses puedes *asentarte*," arrespondio el Rey.

Aki el otro konejiko de indias aklamo, i fue reprimido.

"Ayde, kon esto akavan los konejikos de indias!" penso Alisia. "Agora todo ira mijor."

"Preferiria terminar mi te," disho el Bonetero, kon una mirada ansioza enverso la Reina ke estava meldando la lista de kantadores.

"Puedes irte," disho el Rey, i el Bonetero salio de la korte, aun sin asperar kalsarse.

"—i al salir ke le korten la kavesa," adjusto la Reina, dirijiendose a uno de los fonksionarios: ama el Bonetero se avia pedrido de vista antes ke el fonksionario pudiera alkansar la puerta.

"Yama al siguente testigo!" disho el Rey.

El siguente testigo era la rijindera de la Dukeza. Yevava la kasha de pimienta en su mano, i Alisia adivino ke era eya, aun antes de ke entrara en la korte, por el modo en ke la djente ke estavan serka de la puerta, empesaron a sarnudar a una.

"Da tu testimonio," disho el Rey.

"No do," disho la rijindera.

El Rey miro kon ansiedad al Taushan Blanko ke disho en boz basha: "su Maestad deve azer una chevireada a *este* testigo."

"Bueno, si devo, lo are," disho el Rey kon tono melankoliko, i despues de aplegar sus brasos i engrovinyarse de tal modo ke sus ojos kaje desparesieron, pregunto en boz profunda: "De ke se azen las tortas?"

"Sovre todo de pimienta," disho la rijindera.

"Melasa," disho detras de eya una boz dormida.

"Aferrad por el kolar a esta Marmitá!" chiyo la Reina. "Dekapitad a esta Marmitá! Arrojad a esta Marmitá de la korte! Reprimidla! Pelishkadla! Arrankadla los bigotes!"

Durante unos minutos, toda la korte estava en grande konfuzion para arrojar afuera la Marmitá, i kuando todos tornaron a okupar sus postos, la rijindera avia desparesido.

"No importa!" disho el Rey, kon aire de alivianadura. "Yama al siguente testigo." I adjusto kon boz basha a la Reina: "Realmente, mi kerida, deves interrojar *tu* al siguente testigo. A mi esto me da dolor de kavesa!"

Alisia observo al Taushan Blanko, ke examinava la lista, i se pregunto kon kuriozidad ken sera el siguente testigo. "Siendo asta agora no avian resivido muncha preva," se disho de si para si. Imajinad su sorpreza kuando el Taushan Blanko, elevando al maksimo volumen su bozezika, grito el nombre "Alisia!"

KAPITULO XII

El Testimonio de Alisia

"¡Aki esto!" grito Alisia, i kaje olvidandose, en la emosion del momento, kuanto muncho avia kresido en los ultimos minutos, se alevanto en un salto, tan de prisa ke aharvo kon el bodre de su falda la estrada de los djurados, echandolos todos de kavesa ensima de la djente ke avia debasho; ayi kedaron tendidos en una konfuzion, lo ke arrekodro muncho a Alisia la peshera de peshes de kolores ke eya avia aboltado aksidentalmente la semana pasada.

"Oh, vos rogo me perdonen!" esklamo Alisia en tono de gran siklet, i empeso a alevantarlos a toda prisa, siendo el aksidente de la peshera ainda estava fresko en su memoria, i tenia la vaga idea de ke era de menester akojerlos pishin i meterlos en la estrada, antes ke se mueran.

"El djuisio no podra kontinuar," disho el Rey kon boz muy grave, "asta ke todos los djurados esten en sus propios luguares—*todos*," repitio, bien puntuandolo, mirando severamente a Alisia al dezirlo.

Alisia miro a la estrada de los djurados, i vido ke, kon su prisa, avia metido al Lagarto kavesa abasho, i el povereliko meneava su koda de una manera melankolika, sin poder moverse. Pishin lo akojo i lo metio en su luguar komo se deve. "Aunke no kreo ke esto sinyifika muncho," se disho de si para si. "Me parese ke por el djuisio lo mizmo es si esta kavesa arriva o abasho."

Al momento ke los djurados se avian rekuperado un poko del shok del aboltamiento, i toparon de muevo sus eskrivanikas i lapizes, se echaron todos a eskrivir kon gran dilijensia la istoria del aksidente, todos, eksepto el Lagarto, ke paresia demaziado impresionado para azer otra koza ke estar asentado ayi, kon la boka avierta, mirando el techo de la korte.

"Ke saves tu de este echo?" le disho el Rey a Alisia.

"Nada," disho Alisia.

"Nada de *nada*?" persistio el Rey.

"Nada de nada," disho Alisia.

"Esto es muy importante," disho el Rey, dirijiendose a los djurados. Estavan empesando a anotar esto en sus eskrivanikas, kuando intervino el Taushan Blanko: "*Non*-importante, desierto, su Maestad kere dezir," disho en tono muy respektuozo, ma engrovinyandose i aziendole sinyos al Rey mientres avlava.

"*Non*-importante, desierto, kero dezir," pishín disho el Rey, i empeso a murmurear de si para si: importante—non-importante—non-importante—importante—" komo si estuviera tratando de dechidir ke palavra sonava mijor.

Algunos de los djurados eskrivieron "importante", i otros "non-importante". Alisia pudo verlo, siendo estava bastante serka de los djurados para poder ver las eskrivanikas. "Ama esto no tiene la menor importansia," se disho de si para si.

En este momento, el Rey, ke avia estado muncho okupado eskriviendo algo en su tefter, grito: "Silensio!" i meldo de su tefter: "Artikolo Kuarenta i Dos. *Toda persona de mas de un kilometro deve abandonar la korte.*"

Todos miraron a Alisia.

"No tengo un kilometro de altura," disho Alisia.

"Si lo tienes," disho el Rey.

"Kaje dos kilometros de altura," adjusto la Reina.

"Bueno, no me ire de aki, de todo modo," disho Alisia: "ademas, este no es un artikolo regolario: lo akavas de inventar en este momento."

"Es el artikolo mas viejo ke ay en el livro," disho el Rey.

"Entonses deveria yevar el Numero Uno," disho Alisia.

El Rey se demudo i serro pishin su tefter. "Deliberad vuestro veredikto!" disho a los djurados, en boz flaka i temblante.

"Ay ainda mas provas ke prezentar, su Maestad," disho el Taushan Blanko, saltando en pies apresuradamente. Este papel akava de toparse agora."

"Ke kontiene?" disho la Reina.

"Dainda no lo tengo avierto," disho el Taushan Blanko "ama parese ser una karta eskrita por el prizionero a—a alguno."

"Ansi deve ser," disho el Rey "a menos ke uviera sido eskrito a ninguno, lo kual no es frekuente, saves."

"A ken esta dirijida?" disho uno de los djurados.

"No esta dirijida a ninguno," disho el Taushan Blanko. "Efektivamente no yeva nada eskrito *afuera*." Desdoblo el papel mientres avlava, i adjusto: "En realidad no es una karta, es una seria de versos."

"Es la eskritura del prizionero?" pregunto otro de los djurados.

"No, no lo es," disho el Taushan Blanko "i esto es lo mas estranyo de todo este echo." (Todos los djurados paresieron perpleksos.)

"Deve aver imitado la eskritura de otra persona," disho el Rey. (Todos los djurados briyaron de muevo.)

"Por favor, su Maestad," disho el Valet "yo no lo tengo eskrito, i ninguno puede provar ke lo ize, no ay ninguna firma al kavo."

"Si no lo tienes firmado," disho el Rey "esto solo aze mas grave el echo. *Deves* aver eskrito esto kon negra intension, siendo, de otra manera, uvieras firmado kon tu nombre komo una persona onrada."

Esto fue segido por un aplauzo jeneral: en realidad, era la primera koza intelijente ke el Rey avia dicho en todo el dia.

"Esto *prova* su kulpabilidad," disho la Reina: "ke le kor—"

"Esto no prova nada de nada!" disho Alisia. "Komo? No savesh afilú de ke se trata!"

"Meldalo," disho el Rey.

El Taushan Blanko metio sus entojos. "Onde devo empesar, por favor, su Maestad?" pregunto.

"Empesa por el prinsipio," disho el Rey kon gravedad, "i kontinua asta yegar a la fin: ayi te apararas."

Estos fueron los versos ke meldo el Taushan Blanko:—

> "Disheron ke fuites a verla
>   i ke a el le avlates de mi:
> eya aprovo mi karakter
>   i yo a nadar no aprendi.
>
> El disho ke yo no era
>   (bien savemos ke es verdad):
> ama si eya insistiera
>   ke te podria pasar?
>
> Yo di una, eyos dos,
>   tu mos dates tres o mas,
> todas atornaron a ti,
>   i eran mias tiempo atras.
>
> Si eya o yo tal vez mos vemos
>   mesklados en este embrolio,
> el aspera tu los liberes
>   i sean komo al prinsipio.
>
> Me parese ke tu fuites
>   (antes del atake de eya),
> entre el, i yo i akeyo
>   un motivo de kerelia.
>
> No deshes ke el sepa nunka
>   ke eya los keria mas,
> siendo deve ser un sekreto
>   i entre tu i yo tiene de kedar.

"Esta es la prova mas importante ke tenemos oido asta agora!" disho el Rey, fregandose sus manos. "Ansi ke agora los djurados pueden a—"

"Si alguno de eyos puede esplikarla," disho Alisia (avia kresido tanto en los ultimos minutos ke no tenia ningun miedo de interromper al Rey) "le do una moneda de sixpence. No kreo ke ay ni un grano de sentido en estos versos."

Todos los djurados eskrivieron en sus eskrivanikas: "Eya no kree ke ay ni un grano de sentido en estos versos", ma ninguno de eyos trato de esplikar el papel.

"Si no tienen ningun sentido," disho el Rey "esto mos evitara munchas komplikasiones, savesh, siendo no ternemos ke bushkarselo. I ainda no se," kontinuo, estendiendo el papel sovre sus rodiyas i mirandolo kon un solo ojo, "me parese topar sierto sentido en eyos. Aki dize '—*yo a nadar no aprendi*—' Tu no saves nadar, verdad?" adjusto, dirijiendose al Valet.

El Valet sakudio kon tristeza su kavesa: "Tengo yo aspekto de saverlo?" disho. (Desierto *no* lo tenia siendo ke estava echo enteramente de karton.)

"Asta aki todo va bien," disho el Rey, i sigio murmureando de si para si mientres examinava los versos, "'*Bien savemos ke es verdad*—', desierto, se refiere a los djurados—'*Ama si eya insistiera*'—esto deve ser la Reina—'*Ke te podria pasar?*'—Ke, en verdad!—'*yo di una, eyos dos*'—komo? Esto deve ser lo ke izo kon las tortas, saves—"

"Ama despues sigue '*todas atornaron a ti*'," disho Alisia.

"Komo? Ayi estan!" disho trionfalmente el Rey, senyalando las tortas ke avian sovre la meza. "Nada puede ser mas klaro ke *esto*. I mas adelantre—'*antes del atake de eya*'—Tu nunka tienes atakes, me parese, kerida?" le disho a la Reina.

"Nunka!" disho la Reina furioza, arrojando un tintero al Lagarto. (El dezaventurado chiko Bill avia deshado ya de eskrivir en su eskrivanika kon un dedo, al deskuvrir ke no

122

deshava marka; ma agora se apresuro a empesar de muevo, utilizando la tinta ke le kaiya chorreando por la kara, todo tiempo ke pudo.)

"Entonses, las palavras no pueden emb-*atakarte*," disho el Rey, mirando a su derredor kon una sonriza. Avia un silensio de muerte.

"Es un djugo de palavras!" adjusto el Rey kon tono ofendido, i todos rieron. "Deshemos agora a los djurados ke deliberen sus veredikto," disho el Rey por kaje la ventisima vez akel dia.

"No, no!" disho la Reina. "Primero la sentensia—el veredikto despues."

"Bavajadas i tonterias!" disho Alisia en boz alta. "Ke idea es tener la sentensia primero!"

"Tapate la boka!" disho la Reina, enkorladeandose de ira.

"No kero!" disho Alisia.

"Ke le korten la kavesa!" grito la Reina kon toda la fuersa de sus pulmones. Ninguno se movio.

"A ken le importa de *ti*?" disho Alisia (al yegar a este

momento ya avia kresido asta su boy normal). "No sosh todos mas ke un paketo de kartas!"

Al oir esto, el paketo entero de las kartas se also por el aire i kayo bolando sovre eya. Alisia lanso un grito chiko, medio de terror i medio de furia, i trato de sakudirselos de ensima—i se topo echada sovre la oriya, kon la kavesa apoyada en el bel de su ermana, ke le estava kitando dulsamente unas ojas sekas ke avian kaido sovre su kara.

"Despertate, Alisia, kerida!" le disho su ermana. "Kuanto muncho tienes dormido!"

"Oh, tuvi un esuenyo tan estranyo!" disho Alisia, i le konto a su ermana, tan bien komo pudo akodrarse, todas estas Aventuras suyas, ke tenesh meldado, i kuando uvo terminado, su ermana le dio un bezo i le disho: "*Fue*, por seguro, un esuenyo muy kuriozo, kerida: ma agora korre a tomar tu te. Se esta aziendo tadre." Entonses, Alisia se alevanto i se echo a korrer, pensando mientres korria ke maraviyozo fue este suenyo.

Ama su ermana sigio asentada ayi, tal komo la avia deshado, la kavesa apoyada en su mano, observando la shekiá i pensando en la chika Alisia i en todas sus maraviyozas aventuras, asta ke tambien eya empeso a sonyar a su fason, i este fue su esuenyo:—

Primero, sonyo kon la propia chika Alisia, i le paresio sentir de muevo las manikas apoyadas en su rodiya, i ver sus ojos briyantes i kuriozos, fiksados en eya—podia oir todos los tonos de su boz, i ver el chiko djesto kon ke apartava los kaveyos ke siempre le kaiyan delantre de sus ojos—i mientres eskuchava o paresia eskuchar, el espasio entero ke la arrodeava, kovro vida i se povlo kon las estranyas kriaduras del esuenyo de su ermanika.

La alta yerva susurreava a sus pies, kuando paso korriendo el Taushan Blanko—el Raton, asustado, salpiko su kamino en un estanke serkano—pudo oir el ruido de las tasas de porchelana, mientres el Lievre de Marso i sus amigos perseguian sus interminavle ziafet de te, i la chiyarona boz de la Reina, ordenando ke kortaran la kavesa a todos sus desventurados musafires—otra vez el bebé-puerkito sarnudo sovre las rodiyas de la Dukeza, mientres platos i chinís se patleavan a su derredor—otra vez se oyeron el chiyo del Grifon, la raetina de lapiz del Lagarto, i los atabafos de los reprimidos konejikos de indias, mesklado todo kon el distante karpidero de la mizeravle Falsa Tartuga.

Ansi estava asentada ayi, kon los ojos serrados, i kaje kreyo toparse eya tambien en el Paiz de las Maraviyas, aunke savia ke le abastava tornar a avrirlos, para ke todo retornara a la enfasioza realidad—la yerva seria solo susurreada por el viento, i el salpikon del estanke seria por modre del temblor de las kanyas ke kresian en el—el ruido de las tasas de te se transformaria en el sonetido de unos kashkaveles de ovejas, i la chiyarona boz de la Reina en los gritos de un pastoriko—i los sarnudos del bebé, los chiyos del Grifon, i todos los otros ruidos misteriozos, se transformarian (eya lo savia) en la konfuza baraná ke ayegava desde un chiflik vezino— mientres el mujido de un revanyo a lo leshos sostituiria el karpindero de la Falsa Tartuga.

Enfin, imajino komo esta ermanika suya, kon el tiempo, se transformaria en una mujer, konservando a traves de los anyos el korason simple i amavle de su chikez: i komo reuniria a su derredor otras kriaturas, i aria *sus* ojos briyar al kontarles kuentos estranyos, puede ser, afilú, kon este esuenyo viejo del Paiz de las Maraviyas: i komo sintiria sus chikas tristezas i se alegraria kon sus simples gozos, arrekodrandose su propia chikez i los feliches dias del enverano.

Also available from Evertype

Sources

Alice's Adventures in Wonderland: The Evertype definitive edition,
by Lewis Carroll, 2016

Alice's Adventures in Wonderland, illus. June Lornie, 2013

Alice's Adventures in Wonderland, illus. Mathew Staunton, 2015

Alice's Adventures in Wonderland, illus. Harry Furniss, 2016

Through the Looking-Glass and What Alice Found There,
by Lewis Carroll 2009

The Nursery "Alice", by Lewis Carroll, 2015

Alice's Adventures under Ground, by Lewis Carroll, 2009

The Hunting of the Snark, by Lewis Carroll, 2010

Sequels

A New Alice in the Old Wonderland, by Anna Matlack Richards, 2009

New Adventures of Alice, by John Rae, 2010

Alice Through the Needle's Eye, by Gilbert Adair, 2012

Wonderland Revisited and the Games Alice Played There,
by Keith Sheppard, 2009

Alice and the Boy who Slew the Jabberwock,
by Allan William Parkes, 2016

Spelling

Alice's Adventures in Wonderland,
Retold in words of one Syllable by Mrs J. C. Gorham, 2010

𐐈𐑊𐐮𐑅'𐑆 𐐈𐐼𐑂𐐯𐑌𐐽𐐲𐑉𐑆 𐐮𐑌 𐐎𐐲𐑌𐐼𐐲𐑉𐑊𐐰𐑌𐐼,
Alice printed in the Deseret Alphabet, 2014

𐐜 𐐐𐐲𐑌𐐻𐐮𐑍 𐐲𐑂 𐑄 𐐝𐑌𐐪𐑉𐐿,
The Hunting of the Snark printed in the Deseret Alphabet, 2016

𐐛𐑉𐐭 𐑄 𐐢𐐳𐐿𐐮𐑍-𐐘𐑊𐐰𐑅 𐐰𐑌𐐼 𐐐𐐶𐐱𐐻 𐐈𐑊𐐮𐑅 𐐙𐐵𐑌𐐼 𐐜𐐯𐑉,
Looking-Glass printed in the Deseret Alphabet, 2016

Alice's Adventures in Wonderland,
Alice printed in Dyslexic-Friendly fonts, 2015

Λ₋ᴵᶜᴱ'ˢ Λᐁ/ᴱⅡⅡ ᒍᴚᴱˢ ⅢΛ ᐁ\ˢ₋ᴱʌᴵᶜ \/ᴏⅡᐁᴲᴚ₋ΛⅡᐁ,
Alice printed in a font that simulates Dyslexia, 2015

ᛋᛚᛁᛋᛁᛉ ᛋᛏᚢᛖᚾᚲᛖᚱᛉ ᛁᚾ ᚹᚢᚾᛞᛖᚱᛚᛆᚾᛞ,
Alice printed in the Ewellic Alphabet, 2013

'Ælɪsɪz Əd'ventʃəz ɪn 'Wʌndə,lænd,
Alice printed in the International Phonetic Alphabet, 2014

Alis'z Advn̆crz in Wunḍland, *Alice* printed in the Ñspel orthography, 2015

°.ᒧ⅃ᒷᒧ⌐ᒍᒥ °.ᒧ°⠆⌐ᚢᒍ⠀⠄⠄ᒍ⌐ᒥ ⅃ᚢ ⅃ᒧᚢᒍᒑᒧᚢᒧ°.ᚢᒍ,
Alice printed in the Nyctographic Square Alphabet, 2011

·ᴊᴄᴵ𐑕'ᴉᴢ ᴦᵤᵣᵤᴵᴴᴐ𐑎 ᴫ ·ᴊᴫᴖᴐᴄᴫᴴᴇ, *Alice* printed in the Shaw Alphabet, 2013

Alɪꟲꟃꟷꟻꟻ Advenꟲꟷꟻꟻꟻꟻ in Wundꟻꟻꟻꟻꟻꟷ,
Alice printed in the Unifon Alphabet, 2014

ꓛꓶꓫꓬꓵꓲꓷꓢꓮꓶꓷ ꓔꓵꓶꓔꓕꓵꓳꓵꓷ ꓟꓔꓮꓜ (Aliz kalandjai Csodaországban),
The Hungarian *Alice* printed in Old Hungarian script, tr. Anikó Szilágyi, 2016

SCHOLARSHIP

Reflecting on Alice: A Textual Commentary
on *Through the Looking-Glass*, by Selwyn Goodacre, 2016

Elucidating Alice: A Textual Commentary on *Alice's Adventures in Wonderland*, by Selwyn Goodacre, 2015

Behind the Looking-Glass: Reflections on the Myth
of Lewis Carroll, by Sherry L. Ackerman, 2012

Selections from the Lewis Carroll Collection
of Victoria J. Sewell, compiled by Byron W. Sewell, 2014

SOCIAL COMMENTARY

Clara in Blunderland, by Caroline Lewis, 2010

Lost in Blunderland: The further adventures of Clara,
by Caroline Lewis, 2010

John Bull's Adventures in the Fiscal Wonderland, by Charles Geake, 2010

The Westminster Alice, by H. H. Munro (Saki), 2010

Alice in Blunderland: An Iridescent Dream,
by John Kendrick Bangs, 2010

SIMULATIONS

Davy and the Goblin, by Charles Edward Carryl, 2010

The Admiral's Caravan, by Charles Edward Carryl, 2010

Gladys in Grammarland, by Audrey Mayhew Allen, 2010

Alice's Adventures in Pictureland, by Florence Adèle Evans, 2011

Folly in Fairyland, by Carolyn Wells, 2016

Rollo in Emblemland, by J. K. Bangs & C. R. Macauley, 2010

Phyllis in Piskie-land, by J. Henry Harris, 2012

Alice in Beeland, by Lillian Elizabeth Roy, 2012

Eileen's Adventures in Wordland, by Zillah K. Macdonald, 2010

Alice and the Time Machine, by Victor Fet, 2016

Алиса и Машина Времени (Alisa i Mashina Vremeni),
Alice and the Time Machine in Russian, tr. Victor Fet, 2016

SEWELLIANA

Sun-hee's Adventures Under the Land of Morning Calm,
by Victoria J. Sewell & Byron W. Sewell, 2016

선희의 조용한 아침의 나라 모험기
(Seonhuiui joyonghan achim-ui nala moheomgi),
Sun-hee in Korean, tr. Miyeong Kang, 2016

Alix's Adventures in Wonderland:
Lewis Carroll's Nightmare, by Byron W. Sewell, 2011

Áloþk's Adventures in Goatland, by Byron W. Sewell, 2011

Alice's Bad Hair Day in Wonderland, by Byron W. Sewell, 2012

The Carrollian Tales of Inspector Spectre, by Byron W. Sewell, 2011

آلیس در سرزمین عجایب. (Âlis dar Sarzamin-e Ajâyeb),
Alice in Dari, tr. Rahman Arman, 2015

La Aventuroj de Alicio en Mirlando,
Alice in Esperanto, tr. E. L. Kearney (1910), 2009

La Aventuroj de Alico en Mirlando,
Alice in Esperanto, tr. Donald Broadribb, 2012

Trans la Spegulo kaj kion Alico trovis tie,
Looking-Glass in Esperanto, tr. Donald Broadribb, 2012

Les Aventures d'Alice au pays des merveilles,
Alice in French, tr. Henri Bué, 2015

Les Aventures d'Alice au pays des merveilles,
Alice in French, tr. Henri Bué, illus. Mathew Staunton, 2015

Alisanın Gezisi Şaşilacek Yerdä,
Alice in Gagauz, tr. Ilya Karaseni, 2016

ალისის თავგადასავალი საოცრებათა ქვეყანაში
(Elisis t'avgadasavali saoc'rebat'a k'veqanaši),
Alice in Georgian, tr. Giorgi Gokieli, 2016

Alice's Abenteuer im Wunderland,
Alice in German, tr. Antonie Zimmermann, 2010

Die Lissel ehr Erlebnisse im Wunnerland,
Alice in Palantine German, tr. Franz Schlosser, 2013

Der Alice ihre Obmteier im Wunderlaund,
Alice in Viennese German, tr. Hans Werner Sokop, 2012

Balþos Gadedeis Aþalhaidais in Sildaleikalanda,
Alice in Gothic, tr. David Alexander Carlton, 2015

Nā Hana Kupanaha a ʻĀleka ma ka ʻĀina Kamahaʻo,
Alice in Hawaiian, tr. R. Keao NeSmith, 2016

Ma Loko o ke Aniani Kū a me ka Mea i Loaʻa iā ʻĀleka
ma Laila, *Looking-Glass* in Hawaiian, tr. R. Keao NeSmith, 2016

Aliz kalandjai Csodaországban,
Alice in Hungarian, tr. Anikó Szilágyi, 2013

Eachtra Eibhlíse i dTír na nIontas,
Alice in Irish, tr. Pádraig Ó Cadhla (1922), 2015

Eachtraí Eilíse i dTír na nIontas, *Alice* in Irish, tr. Nicholas Williams, 2007

Lastall den Scáthán agus a bhFuair Eilís Ann Roimpi,
Looking-Glass in Irish, tr. Nicholas Williams, 2009

Le Avventure di Alice nel Paese delle Meraviglie,
Alice in Italian, tr. Teodorico Pietrocòla Rossetti, 2010

Alis Advencha ina Wandalan,
Alice in Jamaican Creole, tr. Tamirand Nnena De Lisser, 2016

L's Aventuthes d'Alice en Êmèrvil'lie,
Alice in Jèrriais, tr. Geraint Williams, 2012

L'Travèrs du Mitheux et chein qu'Alice y démuchit,
Looking-Glass in Jèrriais, tr. Geraint Williams, 2012

Әлисэниҧ ғажайып елдегі басынан кешкендері
(Älïsäniñ ğajayıp eldegi basınan keşkenderi),
Alice in Kazakh, tr. Fatima Moldashova, 2016

Алисанын Кызыктар Өлкөсүндөгү укмуштуу окуялары
(Alisanın Kızıktar Ölkösündögü ukmuştuu okuyaları),
Alice in Kyrgyz, tr. Aida Egemberdieva, 2016

Las Aventuras de Alisia en el Paiz de las Maraviyas,
Alice in Ladino, tr. Avner Perez, 2016

לאס אב'יב'ונ'וראס די אליסייה איך איל פּאאיס די לאס מאראב'י'לייאס
(Las Aventuras de Alisia en el Paiz de las Maraviyas),
Alice in Ladino, tr. Avner Perez, 2016

Alisis pīdzeivuojumi Breinumu zemē,
Alice in Latgalian, tr. Evika Muizniece, 2015

Alicia in Terra Mirabili, *Alice* in Latin, tr. Clive Harcourt Carruthers, 2011

Aliciae per Speculum Trānsitus (Quaeque Ibi Invēnit),
Looking-Glass in Latin, tr. Clive Harcourt Carruthers, Forthcoming

Alisa-ney Aventuras in Divalanda, *Alice* in Lingua de Planeta (Lidepla), tr.
Anastasia Lysenko & Dmitry Ivanov, 2014

La aventuras de Alisia en la pais de mervelias,
Alice in Lingua Franca Nova, tr. Simon Davies, 2012

Alice ehr Eventüürn in't Wunnerland,
Alice in Low German, tr. Reinhard F. Hahn, 2010

ALSO AVAILABLE FROM EVERTYPE

Contoyrtyssyn Ealish ayns Çheer ny Yindyssyn,
Alice in Manx, tr. Brian Stowell, 2010

Ko Ngā Takahanga i a Ārihi i Te Ao Miharo,
Alice in Māori, tr. Tom Roa, 2015

Dee Erläwnisse von Alice em Wundalaund,
Alice in Mennonite Low German, tr. Jack Thiessen, 2012

Auanturiou adelis en Bro an Marthou,
Alice in Middle Breton, tr. Herve Le Bihan & Herve Kerrain, Forthcoming

The Aventures of Alys in Wondyr Lond,
Alice in Middle English, tr. Brian S. Lee, 2013

L'Avventure d'Alice 'int' 'o Paese d' 'e Maraveglie,
Alice in Neapolitan, tr. Roberto D'Ajello, 2016

L'Aventuros de Alis in Marvoland, *Alice* in Neo, tr. Ralph Midgley, 2013

Elises Eventyr i Undernes Land: den første norske *Alice:*
Elise's Adventures in the Land of Wonders: the first Norwegian *Alice,*
Alice in Norwegian, ed. & tr. Anne Kristin Lande, 2016

Æðelgyðe Ellendæda on Wundorlande,
Alice in Old English, tr. Peter S. Baker, 2015

La geste d'Aalis el Païs de Merveilles,
Alice in Old French, tr. May Plouzeau, 2016

Alitjilu Palyantja Tjuta Ngura Tjukurmankuntjala (Alitji's Adventures
in Dreamland), *Alice* in Pitjantjatjara, tr. Nancy Sheppard, 2016

Alitji's Adventures in Dreamland: An Aboriginal tale inspired by
Alice's Adventures in Wonderland, adapted by Nancy Sheppard, 2016

Alice Contada aos Mais Pequenos,
The Nursery "Alice" in Portuguese, tr., Rogério Miguel Puga, 2015

Соня въ царствѣ дива (Sonia v tsarstvie diva):
Sonja in a Kingdom of Wonder,
Alice in facsimile of the 1879 first Russian translation, 2013

Охота на Снарка (Okhota na Snarka),
The Hunting of the Snark in Russian, tr. Victor Fet, 2016

Ia Aventures as Alice in Daumsenland,
Alice in Sambahsa, tr. Olivier Simon, 2013

Ocolo id Specule ed Quo Alice Trohv Ter,
Looking-Glass in Sambahsa, tr. Olivier Simon, 2016

'O Tāfaoga a 'Ālise i le Nu'u o Mea Ofoofogia,
Alice in Samoan, tr. Luafata Simanu-Klutz, 2013

Eachdraidh Ealasaid ann an Tìr nan Iongantas,
Alice in Scottish Gaelic, tr. Moray Watson, 2012

Alice's Adventchers in Wunderland,
Alice in Scouse, tr. Marvin R. Sumner, 2015

Mbalango wa Alice eTikweni ra Swihlamariso,
Alice in Shangani, tr. Peniah Mabaso & Steyn Khesani Madlome, 2015

Ahlice's Aveenturs in Wunderlaant,
Alice in Border Scots, tr. Cameron Halfpenny 2015

Alice's Mishanters in e Land o Farlies,
Alice in Caithness Scots, tr. Catherine Byrne 2014

Alice's Adventirs in Wunnerlaun,
Alice in Glaswegian Scots, tr. Thomas Clark, 2014

Ailice's Anters in Ferlielann,
Alice in North-East Scots (Doric), tr. Derrick McClure, 2012

Alice's Adventirs in Wonderlaand,
Alice in Shetland Scots, tr. Laureen Johnson, 2012

Ailice's Àventurs in Wunnerland,
Alice in Southeast Central Scots, tr. Sandy Fleemin, 2011

Ailis's Anterins i the Laun o Ferlies,
Alice in Synthetic Scots, tr. Andrew McCallum, 2013

Alice's Carrànts in Wunnerlan,
Alice in Ulster Scots, tr. Anne Morrison-Smyth, 2013

Alison's Jants in Ferlieland,
Alice in West-Central Scots, tr. James Andrew Begg, 2014

Alice muNyika yeMashiripiti,
Alice in Shona, tr. Shumirai Nyota & Tsitsi Nyoni, 2015

Алисаның қайғаллығ Черинде полған чоруқтары
(Alisanyň qayğallyğ Çerinde polğan çoruqtarı),
Alice in Shor, tr. Liubov′ Arbachakova, 2016

Alis bu Cëlmo dac Cojube w dat Tantelat,
Alice in Ṣurayt, tr. Jan Beṭ-Ṣawoce, 2015

Alisi Ndani ya Nchi ya Ajabu, *Alice* in Swahili, tr. Ida Hadjuvayanis, 2015

Alices Äventyr i Sagolandet, *Alice* in Swedish, tr. Emily Nonnen, 2010

'Alisi 'i he Fonua 'o e Fakaofo',
Alice in Tongan, tr. Siutāula Cocker & Telesia Kalavite, 2014

Ventürs jiela Lälid in Stunalän, *Alice* in Volapük, tr. Ralph Midgley, 2016

Lès-avirètes da Alice ô payis dès mèrvèyes,
Alice in Walloon, tr. Jean-Luc Fauconnier, 2012

Anturiaethau Alys yng Ngwlad Hud, *Alice* in Welsh, tr. Selyf Roberts, 2010

I Avventur de Alis ind el Paes di Meravili,
Alice in Western Lombard, tr. GianPietro Gallinelli, 2015

Di Avantures fun Alis in Vunderland,
Alice in Yiddish, tr. Joan Braman, 2015

Alises Avantures in Vunderland,
Alice in Yiddish, tr. Adina Bar-El, Forthcoming

Insumansumane Zika-Alice,
Alice in Zimbabwean Ndebele, tr. Dion Nkomo, 2015

U-Alice Ezweni Lezimanga, *Alice* in Zulu, tr. Bhekinkosi Ntuli, 2014

Printed in the USA
CPSIA information can be obtained
at www.ICGtesting.com
LVHW041438250124
769628LV00012B/525